深度探索

内含奇妙切页，直面精彩一幕！

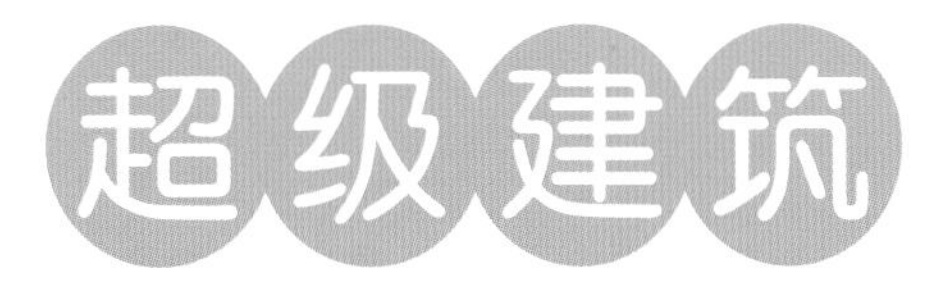

作者：[英]约翰・马兰姆　[英]马克・博金

绘者：[英]马克・博金

译者：施伟

北京科学技术出版社

目 录

人类建筑

6 建筑材料
从泥土、石块到玻璃、塑料

8 世界闻名的建筑
一些全世界最知名的建筑——见证人类成就

12 权势建筑
象征着财富与权力的宏伟建筑

16 雅典帕特农神庙
这座令人惊叹的神庙建造于2400多年前。

17 罗马竞技场
罗马建筑史上的奇迹

18 供人膜拜的建筑
大教堂、礼拜堂、清真寺和其他一些宗教建筑

22 桥梁与隧道
面对巨大挑战，建筑师和工程师们建造出蔚为壮观的建筑。

24 高耸的建筑
许多20世纪以前建造的高大建筑留存至今。

27 更高的建筑
20世纪修建的高塔、摩天大厦，以及其他建筑

28 太空中的建筑
工程史上最令人惊叹的项目正在太空中进行。

30 词汇表

31 人类建筑常识

城 堡

34 城堡的时代
城堡的繁盛时期

36 最早的城堡
从木头城堡到石头城堡

39 建造城堡
劳命伤财的工程

40 城堡中的人物谱
住在城堡里的人们

42 日常生活
贵族、贫民生活两重天

45 招待宾客
城堡时代的宴席

46 成为一名骑士
从侍童到侍从再到骑士的艰辛历程

48 马上比武大会
骑士竞技大会

51 战争游戏
骑士间的精彩角逐

52 围城！攻城者和守城者
战火硝烟中的城堡

55 围城！战火中的城堡
各种围城方法，各种攻城武器

56 世界各地的城堡
军事价值的体现，财富、权势的象征

58 词汇表

59 城堡常识

人类建筑

作　者：[英] 约翰 · 马兰姆

绘　者：[英] 马克 · 博金

译　者：施　伟

英国南部的巨石阵(左图)建造于公元前2550年前后，是欧洲最大的史前建筑。它是人们为了举行某种宗教仪式而建的。那些被称为沙岩的巨大石块是从30千米远的地方拉来的，而小一些、被称为蓝沙岩的石块则先是通过水路，再通过陆路，从240千米外的威尔士南部运来的。

世界上一些早期的建筑是泥土建造的：泥土被塑成长方形的块状，然后再在太阳下晾干。在古代的埃及和美索不达米亚，泥砖被用于建造房屋(左图)和宝塔式建筑等。南美地区的人们也同样利用过它们建造房屋。

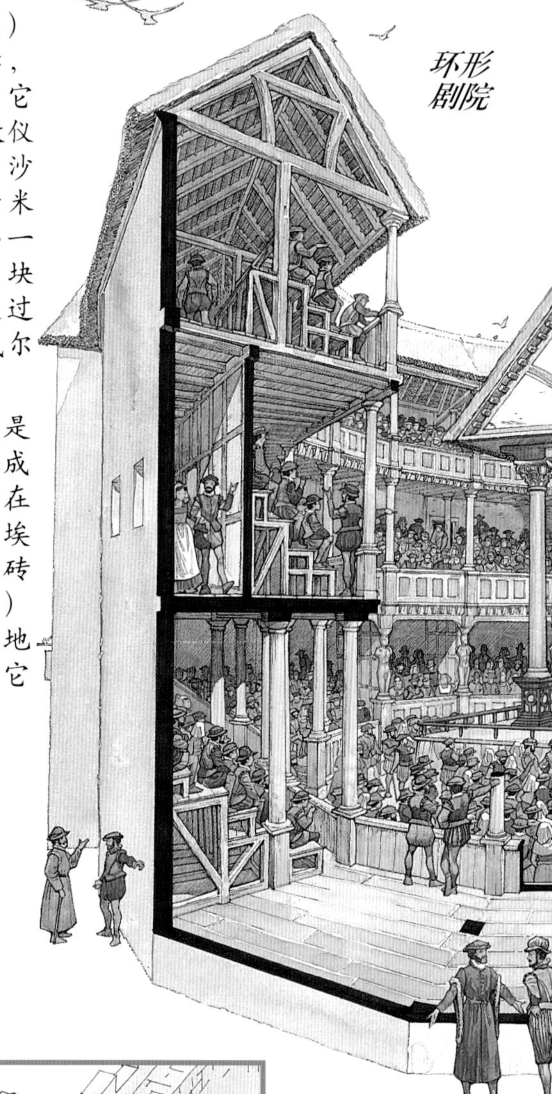

环形剧院

建筑材料

世界上的建筑是由种类繁多的建筑材料构建而成的。在最近一次冰河期，人们在东欧建造的棚屋是世界上最早的建筑群之一。那时即大约2万年前，人们用猛犸象的骨骼和象牙做支架，再在上面覆盖上毛皮和树枝，建成简单的小棚屋。后来，人们学会了利用木材、石头和泥土建房。这些基本的建筑材料至今仍在全世界被广泛利用。但现在很多新的建筑材料已经取代了旧的、传统的材料。在工业化国家，先是木材被砖取代，而后砖又被金属、混凝土和塑料取代。但对某些建筑而言，传统的材料仍是最好的选择，例如修建茅草屋时，芦苇仍就是最好的选择。

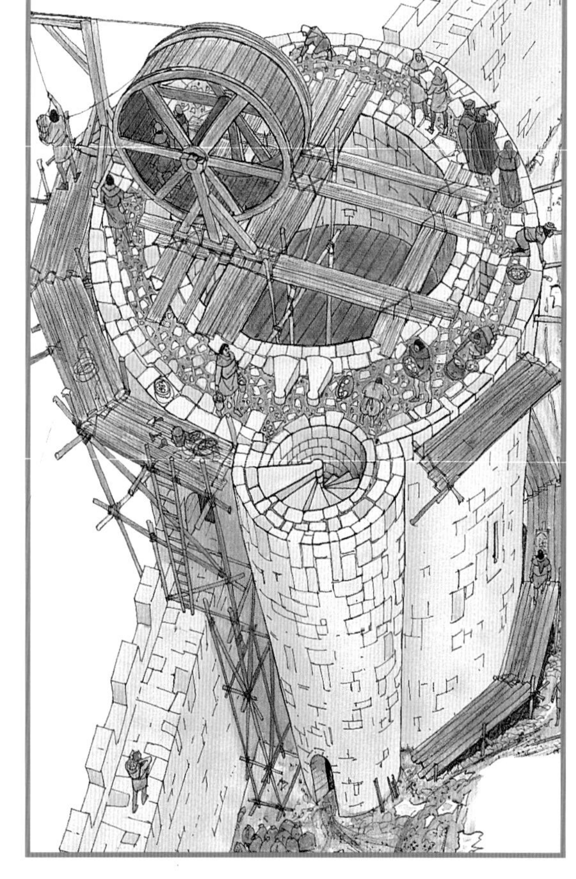

中世纪时期，欧洲和北非的人们建造了许多石头城堡。许多城镇的四周也筑起了石墙。主要建筑材料石头采集自采石场，并经过了手工加工。在工地上，石匠们用机械装置(左图)将石头拉到高处，并用灰泥把石头砌在一起。

木材是一种坚固、耐用的材料。在17世纪以前，木材就在欧洲得到了广泛的利用，但后来逐渐被砖取代。用砖建造房屋更安全，因为砖不能燃烧。

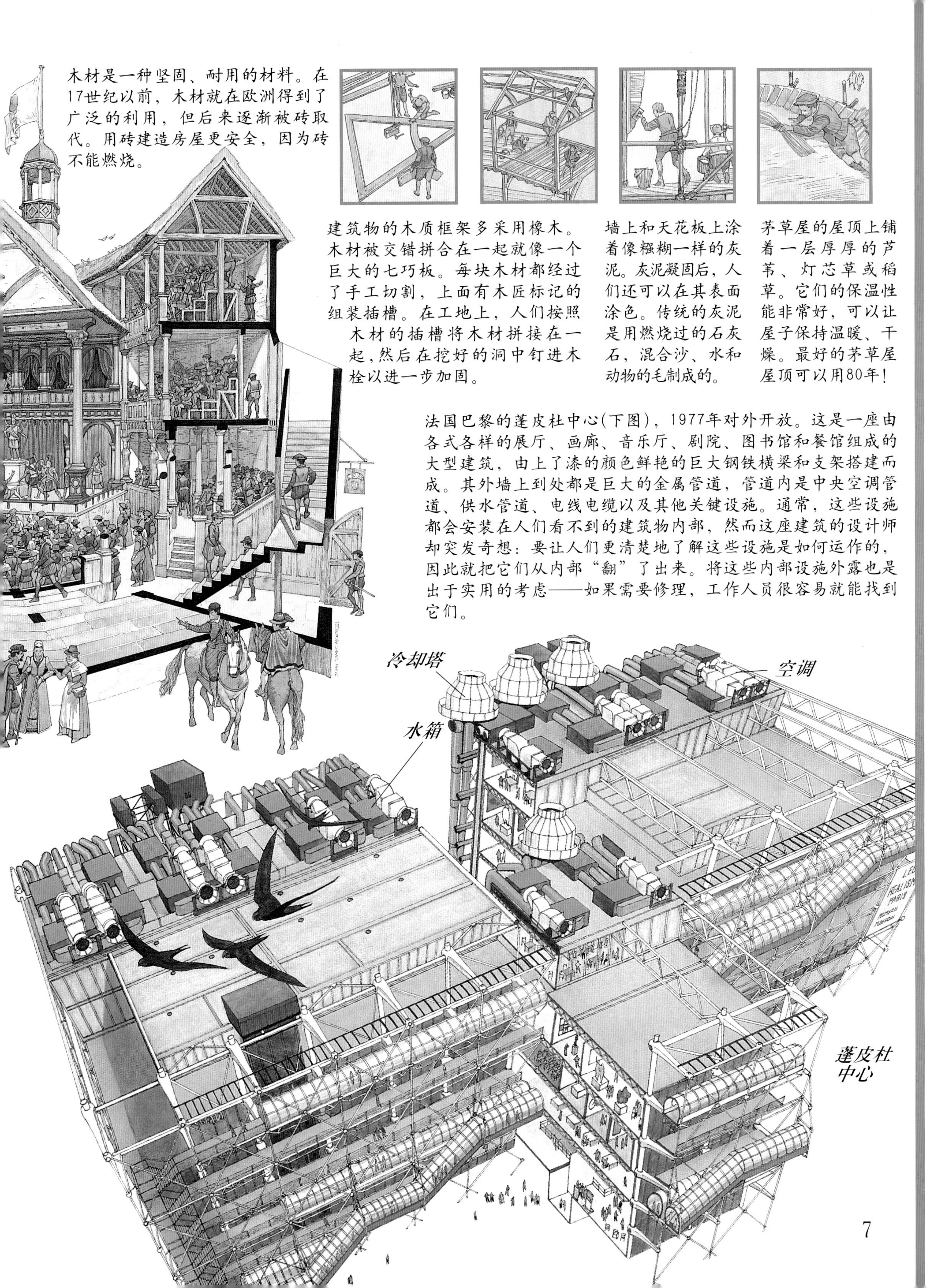

建筑物的木质框架多采用橡木。木材被交错拼合在一起就像一个巨大的七巧板。每块木材都经过了手工切割，上面有木匠标记的组装插槽。在工地上，人们按照木材的插槽将木材拼接在一起，然后在挖好的洞中钉进木栓以进一步加固。

墙上和天花板上涂着像糨糊一样的灰泥。灰泥凝固后，人们还可以在其表面涂色。传统的灰泥是用燃烧过的石灰石，混合沙、水和动物的毛制成的。

茅草屋的屋顶上铺着一层厚厚的芦苇、灯芯草或稻草。它们的保温性能非常好，可以让屋子保持温暖、干燥。最好的茅草屋屋顶可以用80年！

法国巴黎的蓬皮杜中心(下图)，1977年对外开放。这是一座由各式各样的展厅、画廊、音乐厅、剧院、图书馆和餐馆组成的大型建筑，由上了漆的颜色鲜艳的巨大钢铁横梁和支架搭建而成。其外墙上到处都是巨大的金属管道，管道内是中央空调管道、供水管道、电线电缆以及其他关键设施。通常，这些设施都会安装在人们看不到的建筑物内部，然而这座建筑的设计师却突发奇想：要让人们更清楚地了解这些设施是如何运作的，因此就把它们从内部“翻”了出来。将这些内部设施外露也是出于实用的考虑——如果需要修理，工作人员很容易就能找到它们。

世界闻名的建筑

世界上一些神奇的建筑已经有数千年的历史了，而另一些则是现代的作品。它们都是建筑师和建筑工人们精湛技艺的最好展示。

埃菲尔铁塔

修建于1889年的埃菲尔铁塔是法国巴黎的象征。塔身由18,000块铁板通过250万颗铆钉固定修建而成的，高达300米。直到1930年，它一直都是世界上最高的建筑。

大金字塔

埃及吉萨的大金字塔修建于公元前2550年左右。大约2万名劳工用了23年时间才修建完成。修建时，他们切割、运输了230万块石灰石。这座金字塔高147米，它曾是世界上最高的建筑。

拉美西斯二世神庙

在埃及阿布辛贝的拉美西斯二世神庙修建于公元前2165年前后，它是在实心的岩石上开凿而成的。神庙的前面有4座巨大的法老雕像，每座大约22米高。

帕特农神庙

希腊的帕特农神庙可以俯瞰雅典全城，它修建于公元前447年到公元前438年之间。除了屋顶使用了木材之外，整个建筑由233,680吨大理石修建而成。

一座木教堂

从11世纪到12世纪，斯堪的纳维亚半岛上的人们修建了很多木教堂。它们因为那些建筑材料——短小直立的木柱子——而得名。

罗马竞技场

罗马竞技场大约建成于公元80年。它是一座露天的竞技场，最多可以容纳5万名观众。它是由混凝土和被称为石灰华的火山石灰石砖块修建而成的。

圣巴西尔大教堂

圣巴西尔大教堂坐落在俄罗斯的莫斯科。它修建于1555年到1561年间，由8座小教堂围绕着一座高塔组成。

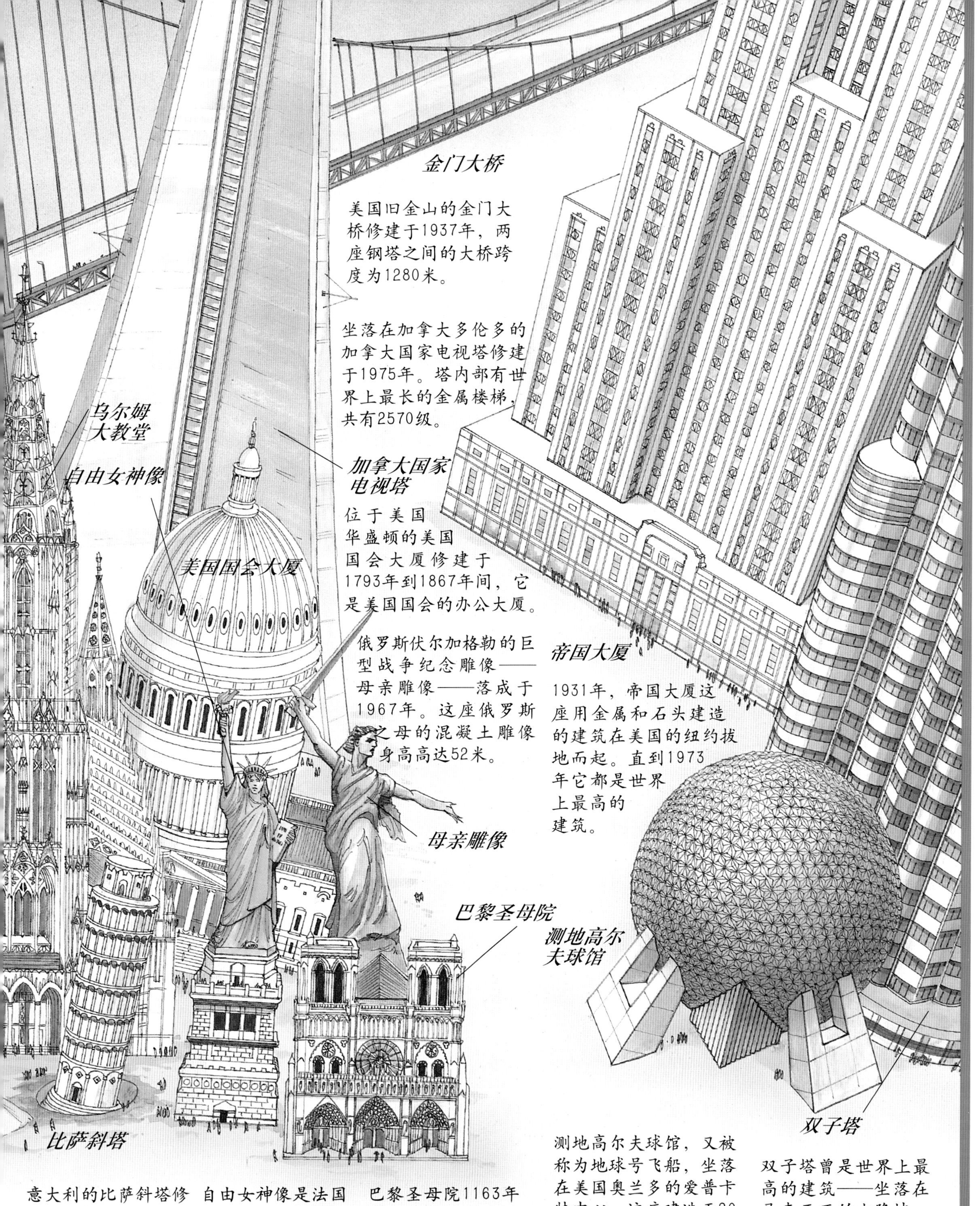

美国旧金山的金门大桥修建于1937年，两座钢塔之间的大桥跨度为1280米。

坐落在加拿大多伦多的加拿大国家电视塔修建于1975年。塔内部有世界上最长的金属楼梯，共有2570级。

位于美国华盛顿的美国国会大厦修建于1793年到1867年间，它是美国国会的办公大厦。

俄罗斯伏尔加格勒的巨型战争纪念雕像——母亲雕像——落成于1967年。这座俄罗斯之母的混凝土雕像身高高达52米。

1931年，帝国大厦这座用金属和石头建造的建筑在美国的纽约拔地而起。直到1973年它都是世界上最高的建筑。

测地高尔夫球馆，又被称为地球号飞船，坐落在美国奥兰多的爱普卡特中心。这座建造于20世纪80年代的建筑是世界上第一座球形建筑。

双子塔曾是世界上最高的建筑——坐落在马来西亚的吉隆坡，建于1997年，双塔均高达452米。

意大利的比萨斜塔修建于1174年到1271年间。开工后不久，塔的地基就开始下沉，塔自身开始倾斜。

自由女神像是法国人民赠给美国的礼物。这座高46米的雕像自1886年起就矗立在纽约港。

巴黎圣母院1163年开始修建，过了约100年才完工，两侧钟楼高69米。

权势建筑

一座宏伟的建筑是建造者权力和财富的象征。在古代，它也象征着统治者统治劳动人民的能力。古埃及和古墨西哥都建有壮观的大型纪念性建筑，尽管两种文明之间有着3000多年和数千千米的时空间隔，但它们却都创造出了金字塔形的建筑。古埃及的金字塔被用做陵墓，而阿兹特克金字塔却有着很不好的用途——它们是人造的“山峰”，人们在上面进行活人祭祀。城堡是另外一种象征权势的建筑，是用来保护居住在其中的居民免受袭击而建造的。

大神庙顶部的两座神殿供奉的是阿兹特克人最重要的两位神——惠齐洛波契特利和特拉洛克。为了取悦他们并表达敬意，人们向这两位神祭献活人。被祭献的人四肢展开躺在神殿前的石头祭坛上。一名祭司用锋利的石刀挖出他们的心脏。

阿兹特克帝国的首都是特诺奇提特兰，市中心坐落着大神庙。这座金字塔形的建筑是阿兹特克帝国的宗教中心。两排平行的台阶通往顶部，上面共有两座神殿。大神庙经过了多次的扩建，到16世纪早期已经有大约30米高。

每排台阶有113级。

大约4500年前，埃及的吉萨地区修建了一群石金字塔。其中最大的三座是法老(国王)胡夫、哈夫拉和门卡乌拉的陵墓，其他小一些的则是为他们的王后修建的。金字塔是用来展示法老的权力的建筑。当初建造它们就是为了让它们永远矗立下去。

米克特兰泰库特利是阿兹特克人地下世界的死神。他戴着人类头骨面具，身上还覆盖着人类的骨头。

阿兹特克人的大神庙是历时200多年、分几个阶段建成的。1325年前后的大神庙还比较小，但到16世纪早期神庙已经改建了数次。每一阶段的改造都是在神庙原来的基础上进行的，这样神庙就越来越高，最终变成了阶梯形的建筑（参见剖面图）。每一级都是由厚厚的泥土砾石混合物建造的，然后再在外边覆盖一层石头“皮肤”。

大神庙巨大的重量导致其在松软的地面上逐渐下沉。阿兹特克人找到了一种加固土壤的方法。他们将木桩插入地面，周围铺上较轻的浮石。这样就在不增加建筑重量的情况下为建筑提供了支撑。

叙利亚的克拉克骑士城堡是世界上保存最完好的城堡之一。其宏伟的建筑规模最终成型于12世纪。开始时，它是一座穆斯林城堡，被法国军队占领后，它又被改造成了一个重要的要塞。

雅典帕特农神庙

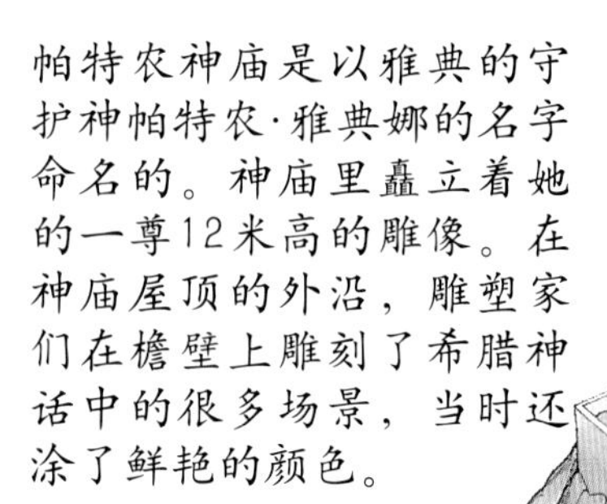

帕特农神庙是以雅典的守护神帕特农·雅典娜的名字命名的。神庙里矗立着她的一尊12米高的雕像。在神庙屋顶的外沿，雕塑家们在檐壁上雕刻了希腊神话中的很多场景，当时还涂了鲜艳的颜色。

帕特农神庙

公元4世纪时，雅典娜的雕像被移走，神庙也被改造成了一座基督教教堂。1460年它又变成了一座清真寺。到1687年它被当做火药库时，不幸被炸毁了。今天，人们又开始逐步地恢复其原貌。

帕特农神庙是耸立在希腊雅典卫城里最大型的神庙。神庙几乎全部由采自13千米外潘太里科山上的白色大理石建成。把石头从采石场运到工地需要一整天的时间，而最重的石头每块重达10吨，需要30头驴组成的驴队才能运送。门和屋顶的支架都是木材建造的。工程耗时9年，使用了23万吨大理石。它是当时的建筑和设计技术的完美展现。公元前483年完工时，帕特农神庙成了雅典至高无上的光荣。

每根纪念柱都由10块或10块以上的大理石构成。石块一旦就位，上面的石柄就被切掉，之后再从顶部到底部垂直地雕凿出凹纹。

那些精美的雕饰，是工地的石匠在工场里完成的。石块上留有石柄，这样就可以用绳索捆住它们，再通过升降机将石块搬到指定位置。

石柄

石匠们使用铁制的凿子、锯子、钻子和锤子(右图)等工具。石块之间没有使用灰泥黏合，而是利用铁箍和铅“黏合”在一起。

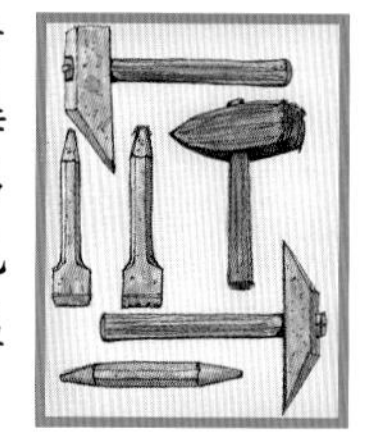

罗马竞技场

罗马竞技场是古罗马人建造的一座超大型的露天建筑。它是角斗士竞技和斗兽表演的舞台。这座建筑高达52米，是建筑史上的奇迹。这项工程用了8年才完工。据推测当时每天耗时12小时，每7分钟就有一车石料送抵工地。但是该工程的真正秘密是使用了混凝土。这种由古罗马人发明的轻质、坚固的材料，可以承载建筑物巨大的重量。

工程开始于公元1世纪70年代早期，当时为了给新建筑开辟空间，古罗马人抽干了一个湖。

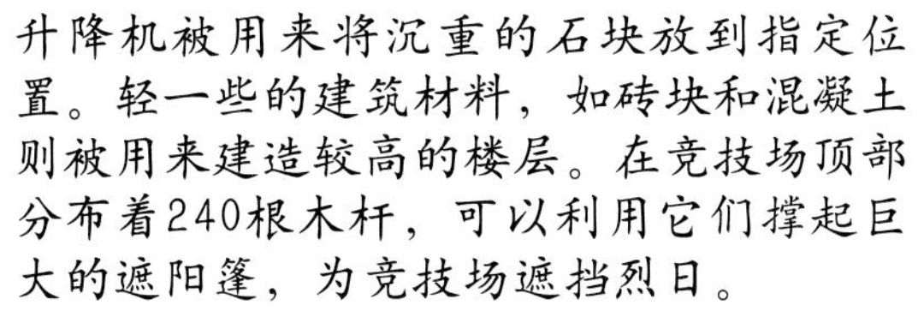

升降机被用来将沉重的石块放到指定位置。轻一些的建筑材料，如砖块和混凝土则被用来建造较高的楼层。在竞技场顶部分布着240根木杆，可以利用它们撑起巨大的遮阳篷，为竞技场遮挡烈日。

建筑底层四周的80道拱门通往观众席。罗马的皇帝和元老院议员们坐在第一排的大理石座椅上。另外，男人坐在第一排和第二排，女人坐在最上边一排。奴隶则站在他们的身后。

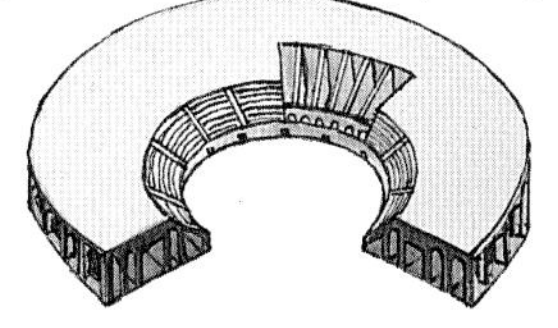

由混凝土和石头建成的13米高的那层是这座椭圆形竞技场的底层。

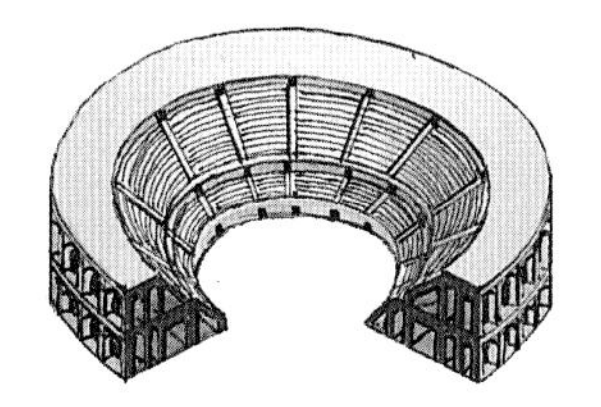

在网状的混凝土拱顶和通道上建有三排观众席。

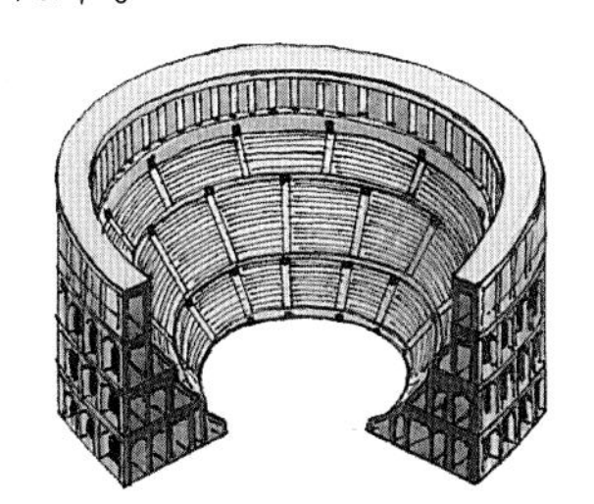

竞技场于公元80年开放，拥有45,000个座位，额外还有5000个站席。

供人膜拜的建筑

宗教一直对建筑有着巨大的影响。古埃及、古希腊和古罗马的一些神庙至今仍然存在——人们当时用最好的工艺和材料建造它们，就是为了让它们永远地矗立下去。中世纪的大教堂仍然雄踞于欧洲的古老城镇，而壮观的清真寺则是伊斯兰教徒们膜拜的对象。现代的建筑材料和充满想象力的设计也被利用来建造现在供人膜拜的宏伟建筑。如果后代子孙能够加以维护，这些建筑也很有可能矗立1000年。

一些中世纪建造的教堂的地板上有着迷宫似的镶嵌图案。人们在上面向中心舞动，而中心象征着基督教的圣地耶路撒冷。法国沙特尔大教堂的迷宫由365块石头铺成，每一块象征着一年中的一天。

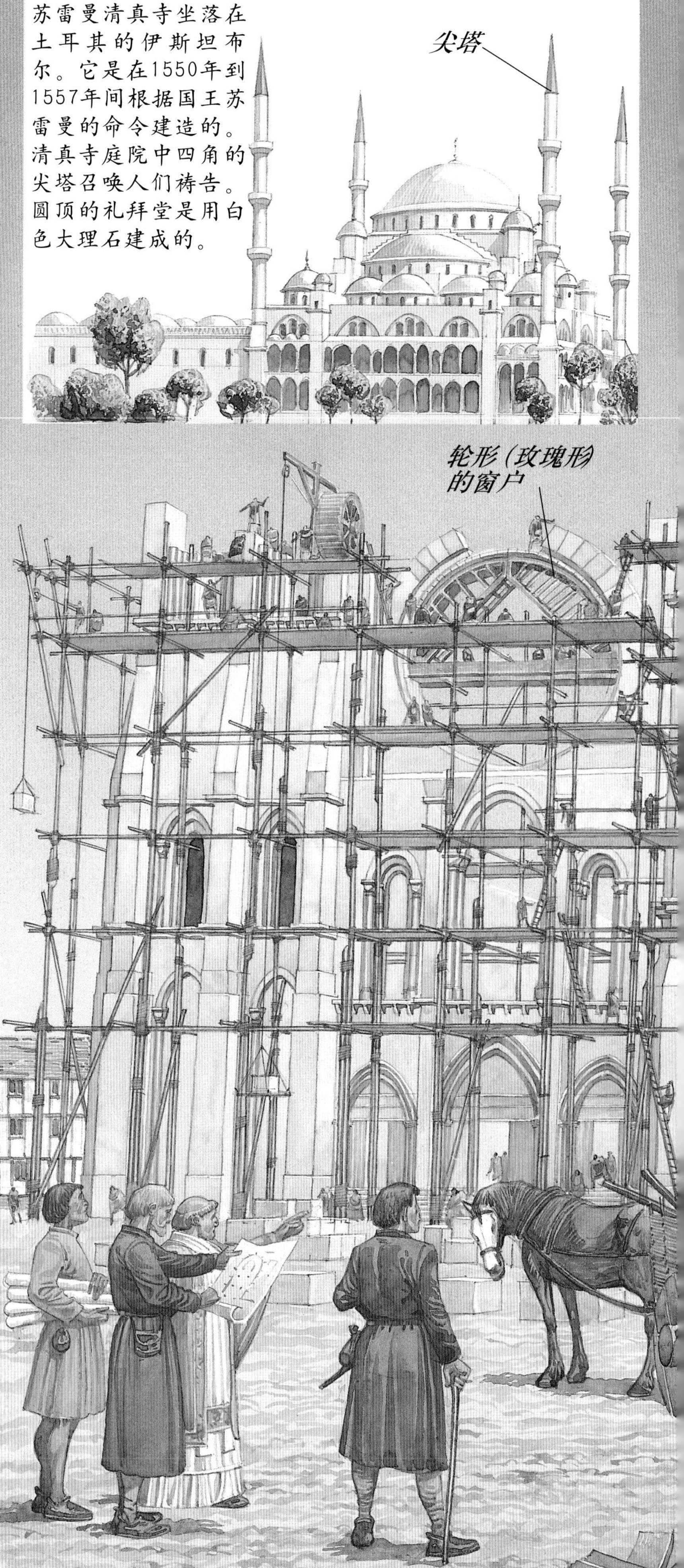

苏雷曼清真寺坐落在土耳其的伊斯坦布尔。它是在1550年到1557年间根据国王苏雷曼的命令建造的。清真寺庭院中四角的尖塔召唤人们祷告。圆顶的礼拜堂是用白色大理石建成的。

沙特尔大教堂，这座鸟瞰法国沙特尔其他建筑的宏伟的大教堂是中世纪建筑中的大师级作品。它从1194年开始建造，历时400年。为了节省运输费用，当地人自愿地从8千米外的采石场拖运石头。在工地，技艺超高的石匠按照建筑师的图纸将石头打造成各种形状。工人们借助升降机和起重机将砖石放置在指定位置，并用灰泥将砖石黏合在一起。

1145年到
1170年间修
建的尖顶
沙特尔大教堂
的石雕
沙特尔大教堂里外有超过1万件人物和怪兽雕饰做装饰。建筑物外部的圣徒和使徒的雕像是石制的(上图)，而内部的雕像则是木制或玻璃制的。沙特尔大教堂还以其160扇彩绘玻璃窗而闻名。所有窗户总计镶有大约22,044平方米的彩绘玻璃，上面不光展示了宗教画面，还有建造大教堂的工匠们的图像。
在公元6世纪，土耳其的君士坦丁堡(现今的伊斯坦布尔)出现了一种新的教堂建筑风格——拜占庭风格。拜占庭风格的教堂有着壮观的圆顶。
这种建筑风格还传播到了东欧，俄罗斯莫斯科的圣巴西尔大教堂就是这种风格。
圣巴西尔
大教堂
圆顶或
穹顶
巴西首都巴西利亚的建设是从20世纪50年代开始的。巴西建筑师奥斯卡·尼迈尔设计了城市的大教堂，该教堂于1970年完工。这座奇特的教堂是由玻璃、钢铁和混凝土建成的。
混凝土扶壁向上延伸成冠状，代表基督头上的荆棘花冠。
巴西利亚
大教堂
木结构的民宅
沙特尔大教堂的建筑风格被称为哥特式，是12世纪晚期在法国兴起的。哥特式建筑有着非常显著的尖顶外观。窗户和拱门的顶部都是尖角的，而尖塔和尖顶更是耸入云霄。哥特式建筑在欧洲宗教建筑中非常普遍，但在民宅等普通建筑中却很少见。民宅建筑用料便宜，风格也更朴实。

日本的明石海峡大桥是世界上最长的悬索桥，主跨1991米。

桥梁与隧道

建造桥梁和隧道不仅对建筑师和工程师来说是巨大的挑战，而且对机械和建筑材料的要求也很高。例如，隧道盾构机必须经过特殊的制造才能钻开坚硬的岩石；钢缆必须出奇地坚固才能支撑世界上最新的桥梁。

在古代埃及的地下陵墓中，墓道是在岩石上开挖出来的。墓道的尽头就是摆满陪葬品的墓室。

澳大利亚的悉尼海港大桥建于1924年到1932年间。它是一座钢铁拱桥。两座石头塔门之间的桥长为503米。

青函隧道是世界上最长的铁路隧道，全长54千米。这条建成于1988年的隧道在平均深度为91米的海床下方，它将日本两个主要的岛屿连接在一起。

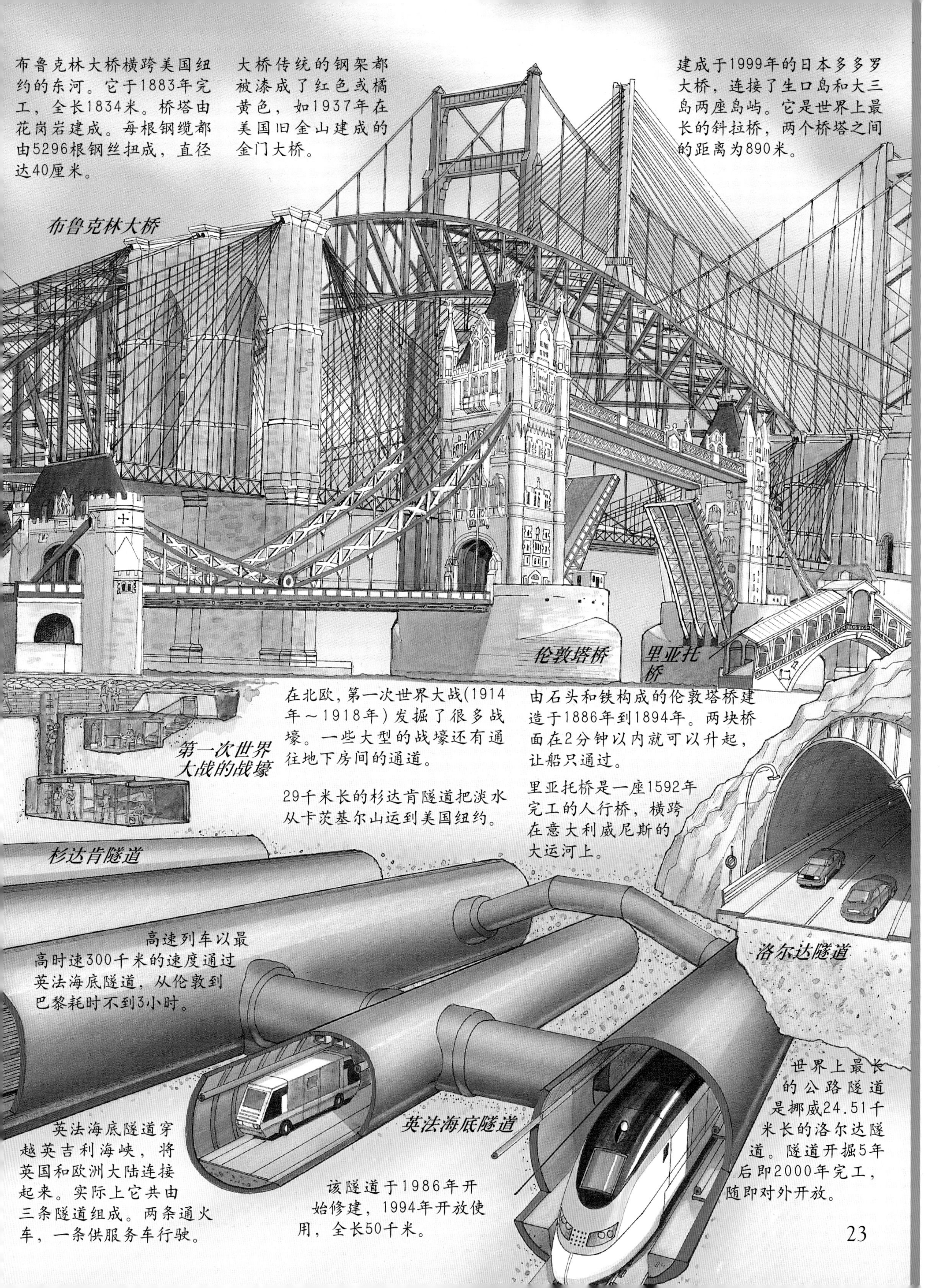
布鲁克林大桥横跨美国纽约的东河。它于1883年完工，全长1834米。桥塔由花岗岩建成。每根钢缆都由5296根钢丝扭成，直径达40厘米。
大桥传统的钢架都被漆成了红色或橘黄色，如1937年在美国旧金山建成的金门大桥。
建成于1999年的日本多多罗大桥，连接了生口岛和大三岛两座岛屿。它是世界上最长的斜拉桥，两个桥塔之间的距离为890米。
布鲁克林大桥
伦敦塔桥
里亚托桥
第一次世界大战的战壕
在北欧，第一次世界大战(1914年～1918年)发掘了很多战壕。一些大型的战壕还有通往地下房间的通道。
由石头和铁构成的伦敦塔桥建造于1886年到1894年。两块桥面在2分钟以内就可以升起，让船只通过。
29千米长的杉达肯隧道把淡水从卡茨基尔山运到美国纽约。
里亚托桥是一座1592年完工的人行桥，横跨在意大利威尼斯的大运河上。
杉达肯隧道
高速列车以最高时速300千米的速度通过英法海底隧道，从伦敦到巴黎耗时不到3小时。
洛尔达隧道
世界上最长的公路隧道是挪威24.51千米长的洛尔达隧道。隧道开掘5年后即2000年完工，随即对外开放。
英法海底隧道
英法海底隧道穿越英吉利海峡，将英国和欧洲大陆连接起来。实际上它共由三条隧道组成。两条通火车，一条供服务车行驶。
该隧道于1986年开始修建，1994年开放使用，全长50千米。

高耸的建筑

人们建造高大建筑的愿望几乎贯穿整个建筑史。古埃及的建筑师们学会了利用石头，因而建造出了金字塔。所有高大建筑的底层都必须足够坚固，以支持上面各层的重量，否则即使地面最轻微的震动也会导致建筑倾覆或倾斜，如著名的比萨斜塔。

这两页中出现的高大建筑都是在20世纪之前建造的，其中大部分屹立至今。高大的建筑还经常被作为地标。从很早的时期开始，高大建筑就反映了建造者的思想和它们的用途。它们让所有看到它们的人都意识到建造者拥有的强大的权力和财富。

世界上最初的高大建筑几乎无一例外的是宗教建筑——如大教堂、清真寺和神庙等。直到19世纪晚期，才出现了因为其他原因建造的高大建筑。

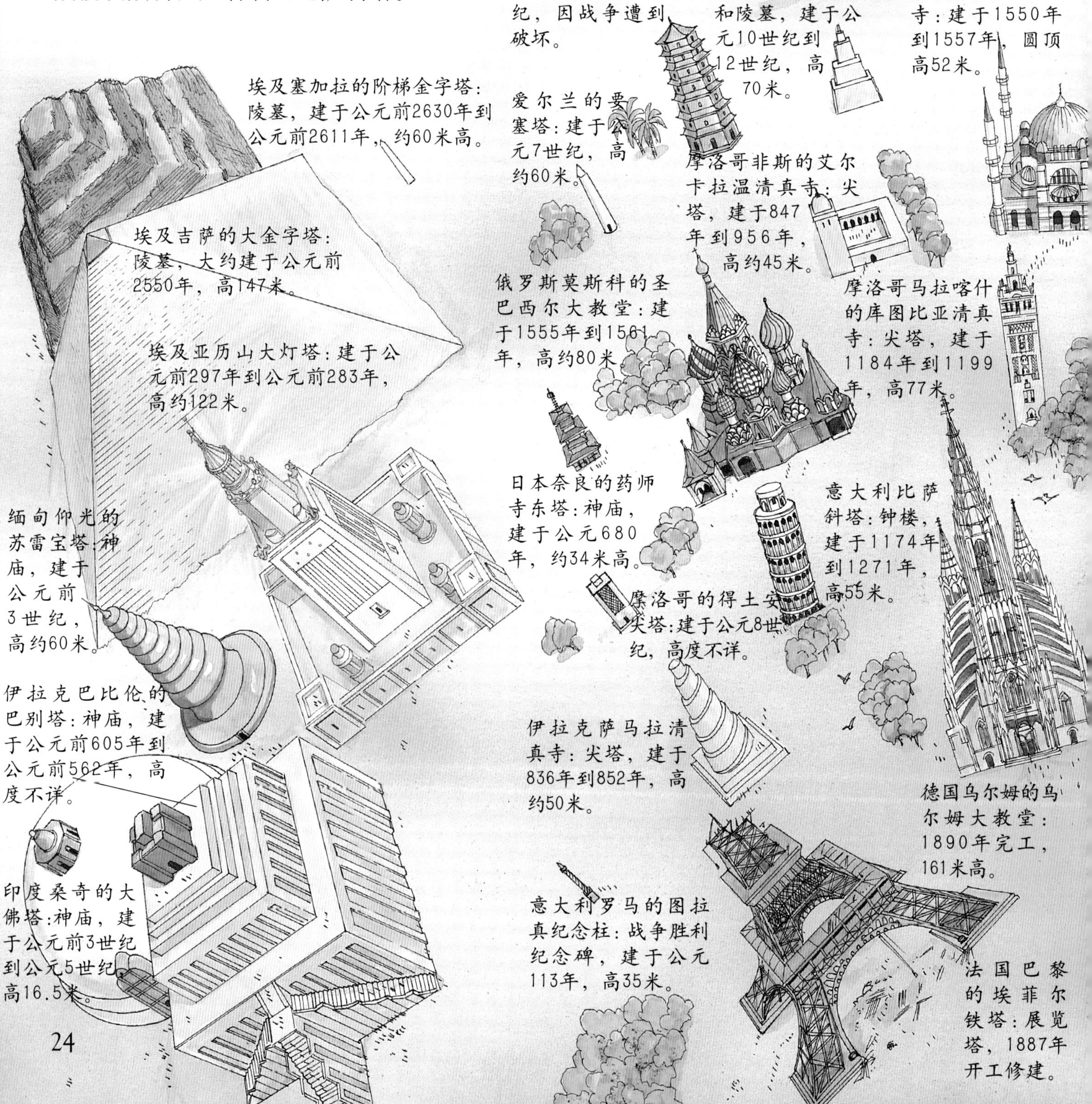

中国杭州的雷峰塔：建成于10世纪，因战争遭到破坏。

危地马拉蒂卡尔的四号金字塔：神庙和陵墓，建于公元10世纪到12世纪，高70米。

土耳其伊斯坦布尔的苏雷曼清真寺：建于1550年到1557年，圆顶高52米。

埃及塞加拉的阶梯金字塔：陵墓，建于公元前2630年到公元前2611年，约60米高。

爱尔兰的要塞塔：建于公元7世纪，高约60米。

摩洛哥非斯的艾尔卡拉温清真寺：尖塔，建于847年到956年，高约45米。

埃及吉萨的大金字塔：陵墓，大约建于公元前2550年，高147米。

俄罗斯莫斯科的圣巴西尔大教堂：建于1555年到1561年，高约80米。

摩洛哥马拉喀什的库图比亚清真寺：尖塔，建于1184年到1199年，高77米。

埃及亚历山大灯塔：建于公元前297年到公元前283年，高约122米。

缅甸仰光的苏雷宝塔：神庙，建于公元前3世纪，高约60米。

日本奈良的药师寺东塔：神庙，建于公元680年，约34米高。

意大利比萨斜塔：钟楼，建于1174年到1271年，高55米。

摩洛哥的得土安尖塔：建于公元8世纪，高度不详。

伊拉克巴比伦的巴别塔：神庙，建于公元前605年到公元前562年，高度不详。

伊拉克萨马拉清真寺：尖塔，建于836年到852年，高约50米。

德国乌尔姆的乌尔姆大教堂：1890年完工，161米高。

印度桑奇的大佛塔：神庙，建于公元前3世纪到公元5世纪，高16.5米。

意大利罗马的图拉真纪念柱：战争胜利纪念碑，建于公元113年，高35米。

法国巴黎的埃菲尔铁塔：展览塔，1887年开工修建。

更高的建筑

20世纪是摩天大厦的世纪。建筑师们使用金属、混凝土和玻璃等材料，在陆地和广袤的海洋上建造了一座更比一座高的建筑。和以前几个世纪人们建造高大建筑不同的是，20世纪人们建造这类建筑是出于商业目的而不是宗教目的。现代高大建筑是终极地位的象征，它们让全世界都关注其所在的城市和所属组织。这些建筑屹立在抗地震的地基上，为成千上万人提供办公、居住、餐厅和鸟瞰全城的场所。

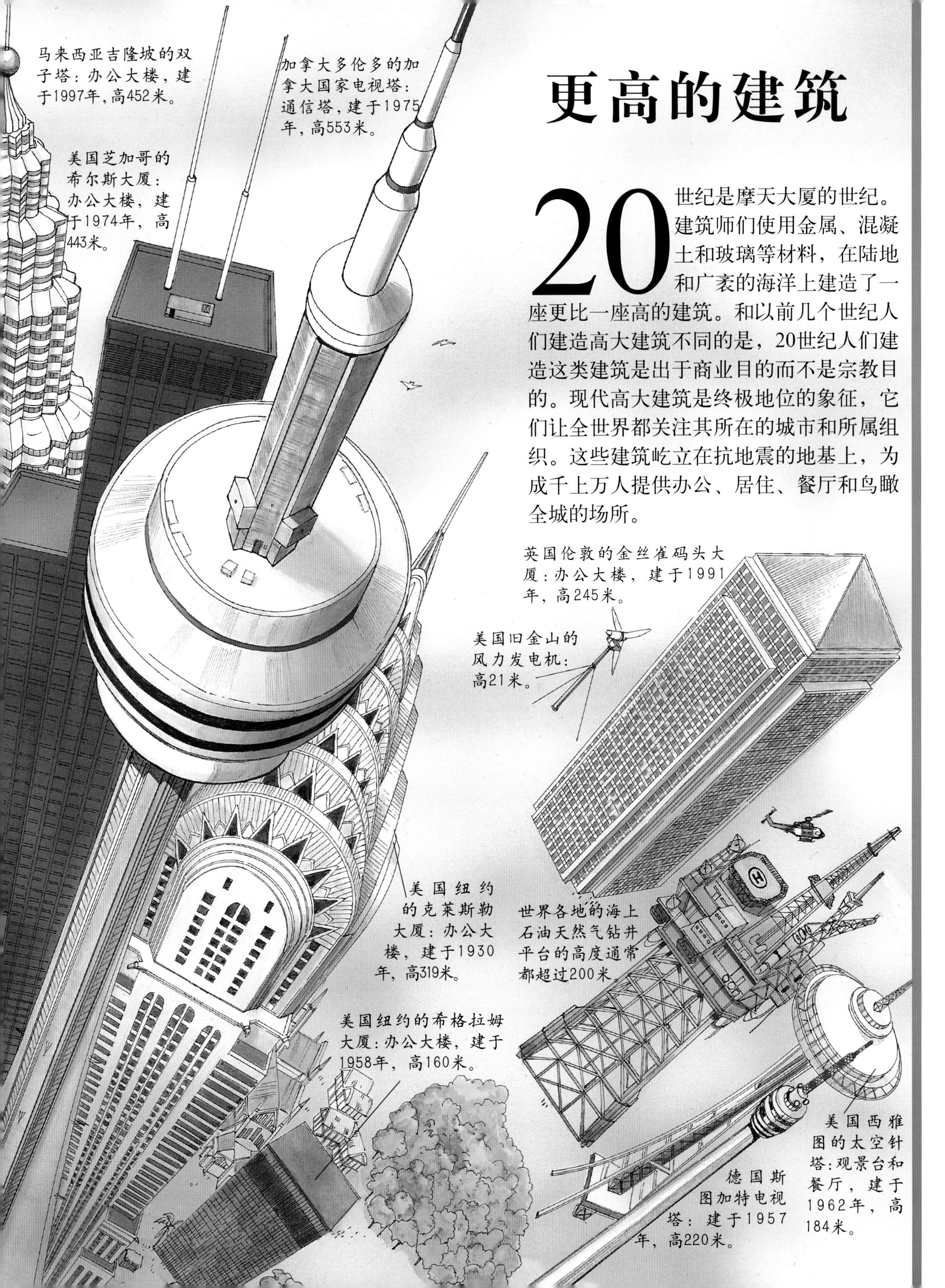

太空中的建筑

有史以来规模最大的工程项目正在进行当中——修建国际空间站。共有16个国家联合参与了此项目。空间站的第一部分由俄罗斯和美国于1998年发射。在此之后超过5年的时间里，为运输这个庞大“建筑”的所有零部件，人类进行了超过40次的太空飞行。装配完成之后，空间站将容纳7名国际宇航员，在离地面354千米的轨道上绕地球飞行。宇航员们将在空间站度过最多6个月的时间，在站内的6个实验室中进行各种实验。国际空间站将是一项工程上和科学技术上的奇迹，它标志着21世纪人类探索太空新纪元的开始。

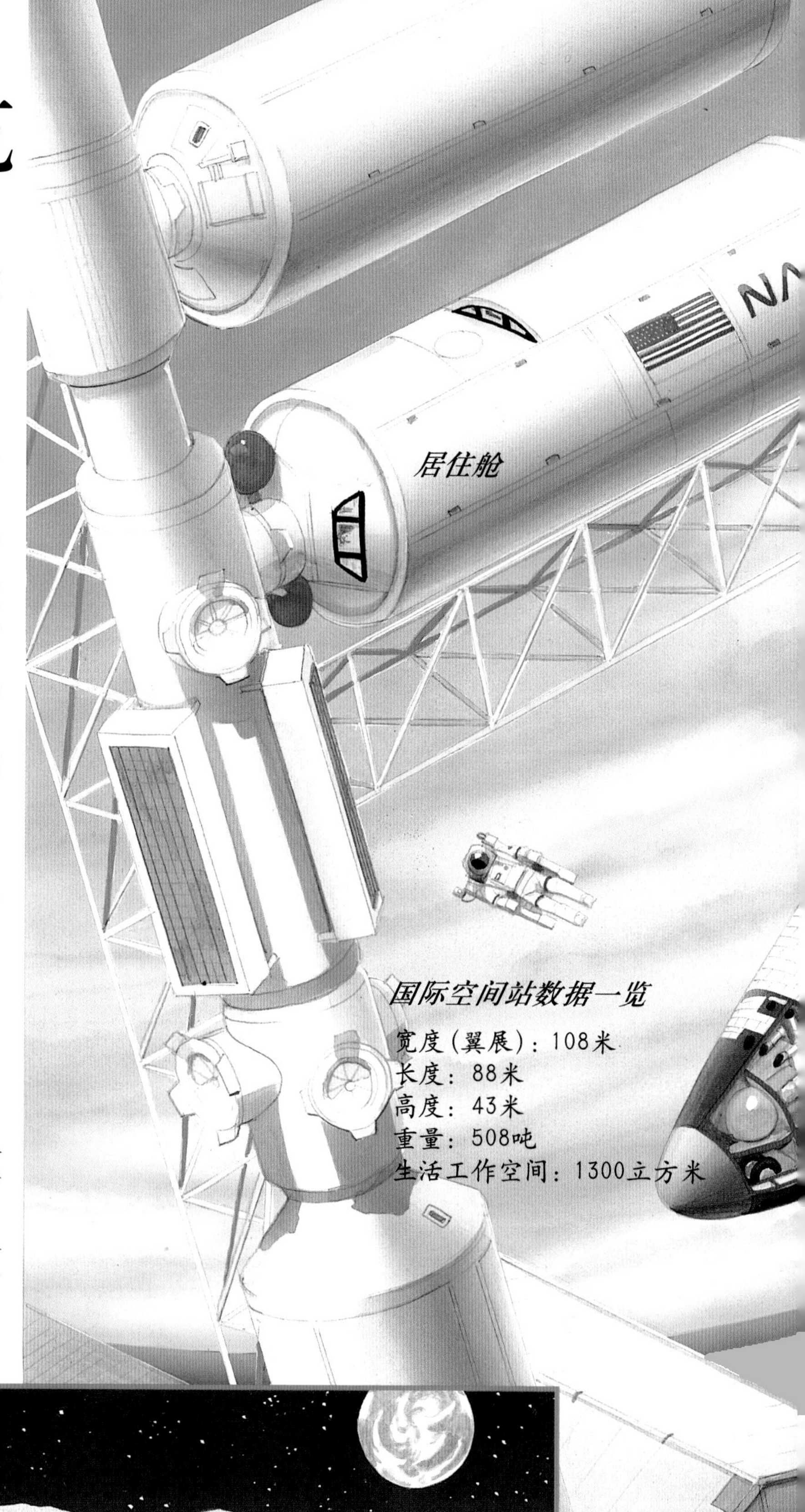

国际空间站数据一览

宽度（翼展）：108米
长度：88米
高度：43米
重量：508吨
生活工作空间：1300立方米

建造国际空间站只是人类在月球上建立太空基地这一长远计划中的一小部分。人类第一次踏上月球是在1969年。在那之后又有过5次登月活动，最后一次是在1972年。建造一个月球基地将需要更多国家的合作。实际建造的时候外观可能会像下图中艺术家想象的那样。

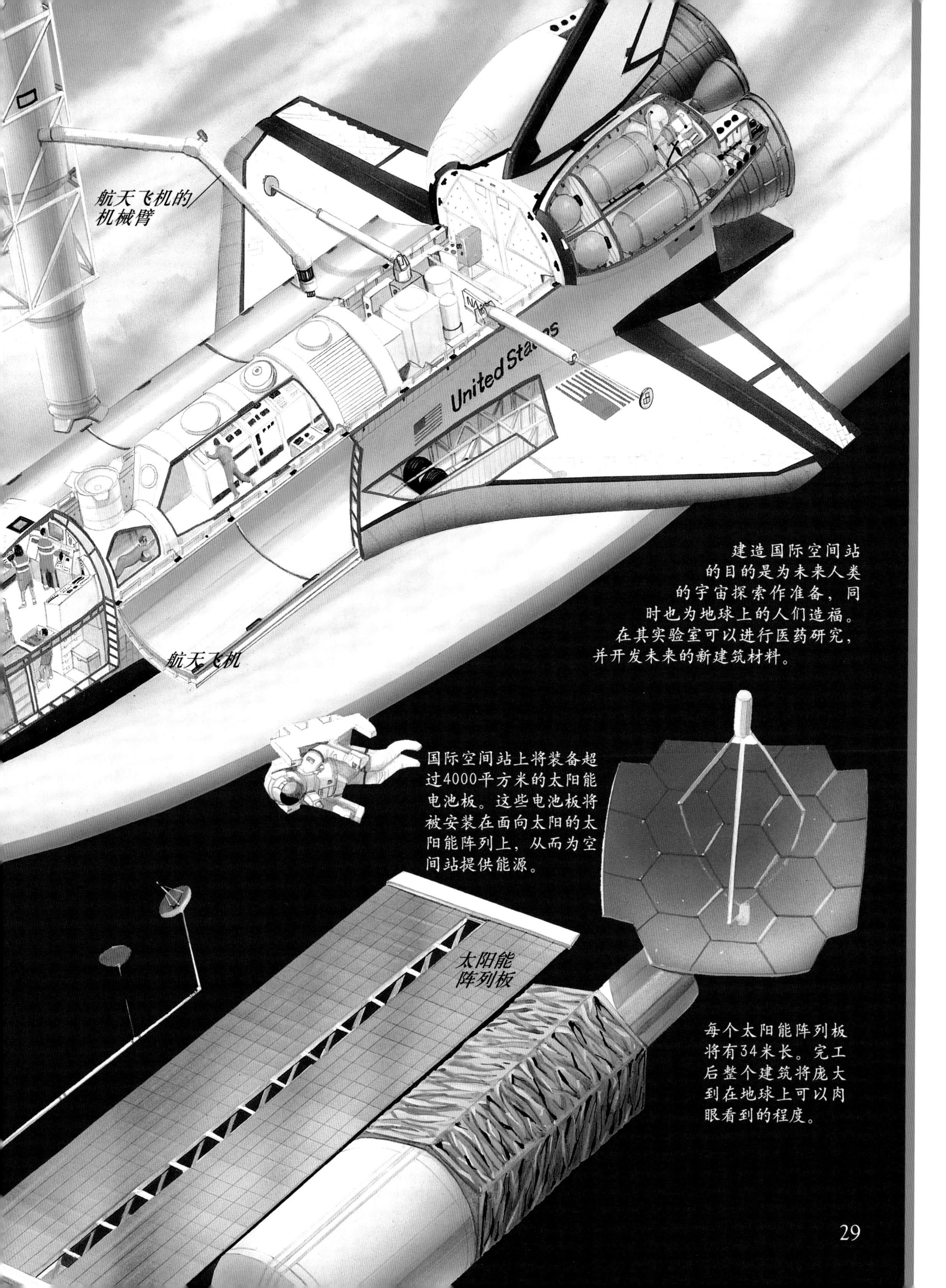

建造国际空间站的目的是为未来人类的宇宙探索作准备，同时也为地球上的人们造福。在其实验室可以进行医药研究，并开发未来的新建筑材料。

国际空间站上将装备超过4000平方米的太阳能电池板。这些电池板将被安装在面向太阳的太阳能阵列上，从而为空间站提供能源。

每个太阳能阵列板将有34米长。完工后整个建筑将庞大到在地球上可以肉眼看到的程度。

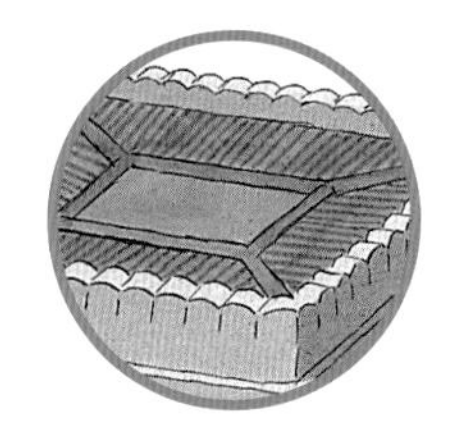

词汇表

混凝土
水、沙子和水泥混合凝固后的混合物。

泥砖
泥土和稻草混合制成的长方形块状物，在太阳下烘烤后变硬即可使用。

猛犸象
几千年前就已经灭绝的动物，体毛长，有大象那样的长鼻子。

石灰石
一种软质石材。

灰泥
用来涂抹墙里外的一种混合物，通常由石灰、沙子混合而成，有时还加入坚硬的毛发。

金字塔
古埃及法老的坟墓。

铆钉
通常用来连接金属材料的金属钉子。

石灰华
一种外表坚硬的火山石灰石。

阿兹特克帝国
在古代墨西哥，阿兹特克人建立的帝国。

石柄
石块上被当做升降把手的一凸起物。

清真寺
穆斯林举行宗教仪式的场所。

大理石
一种硬质石材。

清真寺的尖塔
清真寺中的一种细高的塔，报告祷告时刻的人每天来这里5次召唤信徒们祈祷。

轮形窗户
中世纪欧洲大教堂和普通教堂中应用的一种车轮状的窗户。

穹顶
杯状的屋顶。

隧道盾构机
一种隧道掘进的专用工程机械。

墓室
陵墓中存放棺柩或陪葬品的房间。

悬索桥
桥梁的一种，又称吊桥。

战壕
为打战挖掘的壕沟，方便隐蔽。

斜拉桥
将主梁用许多拉索直接拉在桥塔上的一种桥梁。

摩天大厦
极高的大楼。

居住舱
宇航员在航天飞机或宇宙飞船中居住的空间。

太阳能
太阳光的辐射能量。

人类建筑常识

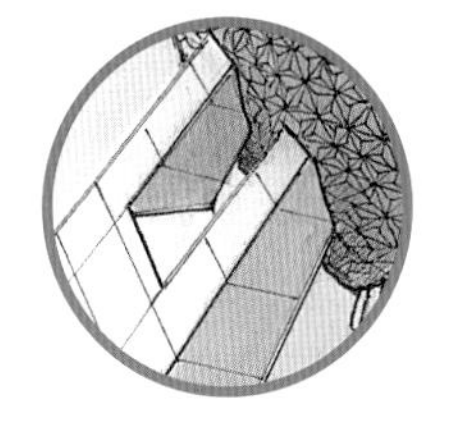

在过去的几百年里，55米高的比萨斜塔不断地倾斜，现在塔顶已经偏离塔底垂直面约5米了。

日本的青函隧道建于1971年至1988年。最深处位于海平面240米以下。

路易斯安那超级圆顶体育馆的地下停车场可容纳5000辆汽车。

澳大利亚悉尼港大桥承载着4条铁路和1条公路。完工时，总重7720吨的72节机车在桥上驶过，以测验其是否能够达到设计的承重强度。

在挪威的洛尔达隧道内，机动车驾驶员们可以驾车在相互间相隔6千米的3个隧道中行驶。隧道顶上闪着蓝光，地面上亮着黄色的光，给人感觉是在露天驾车一样。

英法海底隧道平均位于海床40米之下。隧道只有中间38千米在海下——其他部分在陆地下面。它是世界上第二长的铁路隧道。

美国华盛顿的国会大厦圆顶高90米，直径约为30米。

俄罗斯的母亲雕像由钢筋混凝土建成。雕像的右手中握着一把不锈钢钢刀，长29米，重14吨。这座雕像是为了纪念苏联在第二次世界大战中击溃德军的侵略而修建的。

美国纽约市的杉达肯隧道在1924年建成时是当时世界上最长的隧道。

20世纪60年代时，人们挽救了埃及阿布辛贝的拉美西斯二世神庙，使其免遭洪水之灾——它被切割成大的石块在更高的地方重组起来。

埃菲尔铁塔是根据其建筑师古斯塔夫·埃菲尔的名字命名的，是为在巴黎举办的世界博览会建造的，当初设计它只有20年寿命。

日本的姬路城堡也被称为白鹭城堡，因为其顶部很像展翅高飞的苍鹭。

由1524吨钢铁制造而成的伦敦千禧之轮有80条轮辐和6千米长的缆绳。它以每小时2.5千米的速度旋转——慢得让乘客可以在不停止转轮的情况下登上它的32个观景舱（法国制造）。

要登上加拿大多伦多的加拿大国家电视塔那7层高的观景台，也就是天台，乘电梯是一种快捷的方式。不到1分钟，旅客们就会被升到351米的高空。

建造美国旧金山的金门大桥使用了超过101,000吨的钢铁和130,000千米长的缆绳。支撑桥面的悬挂钢缆每根直径为93厘米，是由27,572根金属丝扭结成的。

自由女神像是分成散件通过海运穿过大西洋运送到美国纽约的。它是由300多块薄铜板用铆钉固定在铁架上建成的。

2007年，马来西亚双子塔的世界第一高楼被打破——中国

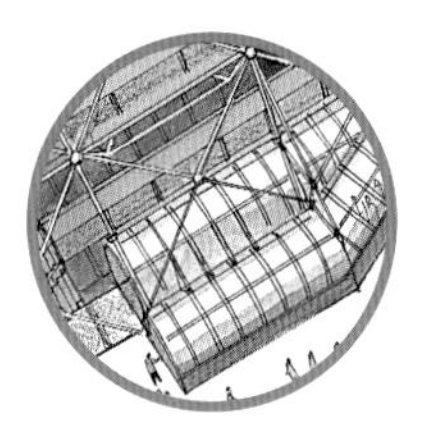

460米高的上海世界金融中心落成。

莫斯科圣巴西尔大教堂的每一个圆顶或穹顶都是松木建成的。上色后的木瓦片镶在这些屋顶上。

美国佛罗里达州的测地高尔夫球馆是一座18层楼高的钢铁球形建筑，里面的展览为游客认识人类的历史提供了机会。

埃及吉萨金字塔和亚历山大灯塔是古代世界七大奇迹中的两大奇迹。

修建意大利罗马竞技场动用了243,000吨的石灰华。石材是从城市东边20千米外的采石场通过驳船和牛车运到工地的。

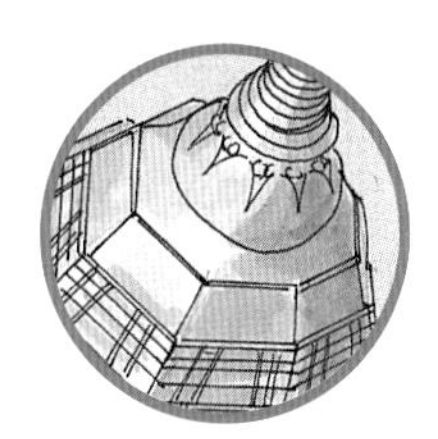

城　堡

作　者：[英] 马克·博金

绘　者：[英] 马克·博金

译　者：施　伟

城堡的时代

在整个中世纪时期，欧洲因战火而四分五裂。那时候，欧洲大陆被分割成了许多小国。国家之间的战争和贵族之间的长期敌对司空见惯。战争的目的大都是掠夺邻邦的土地。于是人们纷纷建造堡垒和城堡以抵御外敌进攻。城堡为领主和其追随者们提供了栖息之所，同时还保护了在城堡工作和在附近村庄生活的人们。在1050年至1450年期间，城堡的建造处于高峰阶段——有数百座城堡拔地而起。在城堡中生活的国王和贵族们披坚执锐，可以控制其所辖范围内的所有领地。河流交汇处和河流沿岸的道路交叉口都是建造城堡比较理想的地方——在那些地方可以更容易地控制贸易和陆地交通。就这样城堡修建得越来越坚固，能很好地抵挡各类袭击。到14世纪左右，大部分的城堡都能承受除大炮之外的任何袭击——当时没有任何一座城堡能够抵挡得了这种新发明的反复轰炸。

今天，大部分的城堡已成废墟，而且人们认为城堡里很阴冷，不适合居住。然而在其黄金时代，它们却是卓尔不群的壮观建筑，是贵族阶层权力和影响力的象征。

贵族们依靠他们统治之下的农民的劳动，享受着特权阶级安逸的生活。农民用货币或农作物交纳赋税。作为交换，他们可以在战时躲进城堡的高墙之内。贵族和骑士们作为执法者高高凌驾于农民之上。他们是当地法庭的法官，对罪犯实施惩罚，并收纳租金。他们还通过征收风车税、水车税、榨酒机税，以及向城镇里的商贩征税来收敛更多的钱财，毫无疑问这些税收都是农民们所厌恶的。

中世纪的社会结构是封建制度的产物。国王高高在上并拥有王国的大部分土地。他将土地分封给向其效忠的各个有权势的贵族，但这些贵族没有人帮助的话，也无法控制他们旗下的土地，于是他们又将土地进一步划分给骑士阶层。骑士要向贵族效忠，并保证在一年中的一段时间为贵族服务。处在这个阶层之下的是自由民。他们在各个领地间游走，寻找工作机会。再之下是贫苦的农民。他们整日在田间干活，生活比奴隶好一点。

最早的城堡

建造于公元10世纪的第一批城堡大多数是木质的。当时很多城堡（图a）都是在山丘上修建一座木塔，山脚下则是用栅栏围成的城廓。

之后，人们在1170年重新修建城堡时，木塔被由围墙保护的石砌要塞（图b）所取代，而且围墙上还依次建有塔楼。

到1300年，人们建造了更大、更坚固的石头城堡（图c），这时想要顺利攻城已经不那么容易了。

建造城堡

修建城堡费用很高，只有最显赫的贵族才承担得起。工程需要许多工匠和技工，还需要大量无技能的劳工。城堡的工程由一位高级工匠监督进行，其薪酬一般都很高。他负责管理那些自由石工和熟练工将石块切割成所需的形状。

城堡的作用很多，除了作为贵族们的住所，它还建有储藏室储藏物品，而且它还为仆人和士兵们提供了栖身之地。这些房屋都要修建在高大的城墙之内。在遭遇围攻时，城堡要为所有居民提供避难所、食品和柴火，有时一次需要坚持数月。干净的水源也非常重要，因此每一座城堡的地点都是经过精心挑选的。

高大的城墙分内外两层，外层用方方正正的砖砌成的。砖是由碎石和燧石混合灰泥制成的。而内层不是用石块就是用砖建成的。

城堡中的人物谱

中世纪的贵族可谓有权有势。他们富可敌国，经常大摆宴席或是举办对抗赛炫耀财富。

一个贵族的财富和权势要靠战争来取得和维护。他们通过征收赋税聚敛财富，并用金钱换取骑士和侍从们的忠诚。

经营一座城堡需要大量的人力。他们要服侍并保护城堡的中心人物——领主及其夫人。一座城堡就像一个小城镇，人们所需的大部分物品和工匠都可以在城内找到，包括铁匠、轮匠、木匠和制蜡工人等。城堡的统领负责管理驻军，同时还肩负一些其他的重要职责如分配房屋等。记账员负责记账。管家负责管理领主的家庭。地主代理人负责收租。执事则负责管理领主的农庄。牧师在城堡的小礼拜堂中布道，有时也充当城堡书记官的角色。司膳总管为厨房购置食物和必需品。仆役长分配酒类。杂役则保证大厅中桌布的干净、整洁。侍童是来自其他贵族家庭的男孩。他们在城堡中寄宿并侍奉领主进餐。马夫在马厩中照顾马匹。最糟糕的工作属于粪农，他们负责清理厕所和城壕。

城堡的防御工作非常重要，因此一般的城堡都会派驻由步兵和弓箭手组成的驻军负责城防。这些人保证了城堡的安全、城堡内良好的秩序和贵族家庭的舒适生活。

鹿、野猪、狐狸、野兔等都是餐桌上和储藏室中的肉食来源。

中世纪时，很多贵族都喜爱外出打猎。有时会带着猎狗寻猎一整天，这是对马匹和骑手很好的锻炼。

贵族妇女在很小的时候就接受了管理家庭的教育。当领主外出觐见国王或打仗时，她们会留下来主持大局。

教会常劝导贵族们对穷人和乞丐给与慈善救济。

弓箭手的地位在14世纪的英国得到了提高。政府鼓励农民们学习射箭技巧。他们的待遇也很优厚——骑兵弓箭手两周的收入相当于一名农场工人一年的劳动所得。

大型的城堡中经常有小丑表演。他的工作是为贵族及其宾客唱歌、讲故事,提供娱乐。在宴会和庆典的娱乐节目中,还会有魔术师、杂技演员和吟游诗人助兴。鲁特琴和风笛都是很受欢迎的乐器。

盔甲铸造师、刀剑铸造师和弓箭铸造师们负责打造士兵们保护城堡或参加战争时一切必需的装备。箭矢、刀剑、斧头、钉头槌、盔甲都是由他们制造或购进的。盔甲制作是最难的——盔甲必需极其合身,主人才能穿着它去参加战斗。这些铸造师一般都是从德国或意大利引进的。

领主及其夫人是城堡的中心人物。他们过着锦衣玉食的富贵生活，住所到处都是雕梁画栋——房间的墙壁都涂抹了灰泥，并绘有花样繁多的图画，黄道十二宫图是当时最受欢迎的，另外还有一些关于民间传说和圣经故事的壁画。房间里还挂有精美的绣花壁挂和窗帘来遮挡穿堂风。在和平时期，城堡是贵族们管理领地的基地，也是当地遭受瘟疫时，村落或城镇的居民们避难的场所。领主和他的妻子在城堡中过着豪华的宁静生活，而农民们通常挤在一间屋子里做饭、吃饭、睡觉和洗漱。

方形城堡的要塞是四角塔楼。塔内的楼梯成顺时针盘旋而上，这样习惯用右手持剑攻城的士兵就会感觉难以施展身手。塔楼顶上升有旗子的话，就表明领主在家。

旗子

综合厨房包括一间厨房、一间食物储藏室，还有一个贮酒间。厨房一般都远离要塞——一幢在庭院另一边单独的房子，这是因为要塞内空间有限，另外也考虑到了明火的危险。猪肉或牛肉等肉类在烤炉内熏烤。其他食物，如鱼和蔬菜等则在一口大锅中用水烹煮。

仆人和农民的菜肴很简单，如汤和炖菜等。他们吃卷心菜、韭菜和大蒜等常见的蔬菜，并搭配坚硬的黑面包食用。

食物储藏罐

厨房

贮酒桶

要塞（或城堡的主楼）的内部有一间大厅，供人们在此进餐、集会和娱乐。大厅下面是储藏室，其中的一间还可能被用做地牢。大厅上层有时还有领主和领主夫人豪华的私人房间。

招待宾客

举行宴会时，领主、领主夫人和他们的客人围坐在贵宾席，以有别于其他进餐者。家庭的重要成员在附近的其他餐桌前就座，不重要的人则坐得远一些。首先是用银盘子或金盘子给贵族们上菜。其他人的饭菜则是盛在厚厚的不新鲜的黑面包切片上。这种“食盘”可以吸收食物中的油脂、肉汁和酱料，在餐后被施舍给城堡外的乞丐们。侍童、侍从和侍者们负责上菜，菜一般分几道依次端上来。每个人都用自己的手、餐刀和勺子进食。叉子直到17世纪60年代才被人们普遍使用。

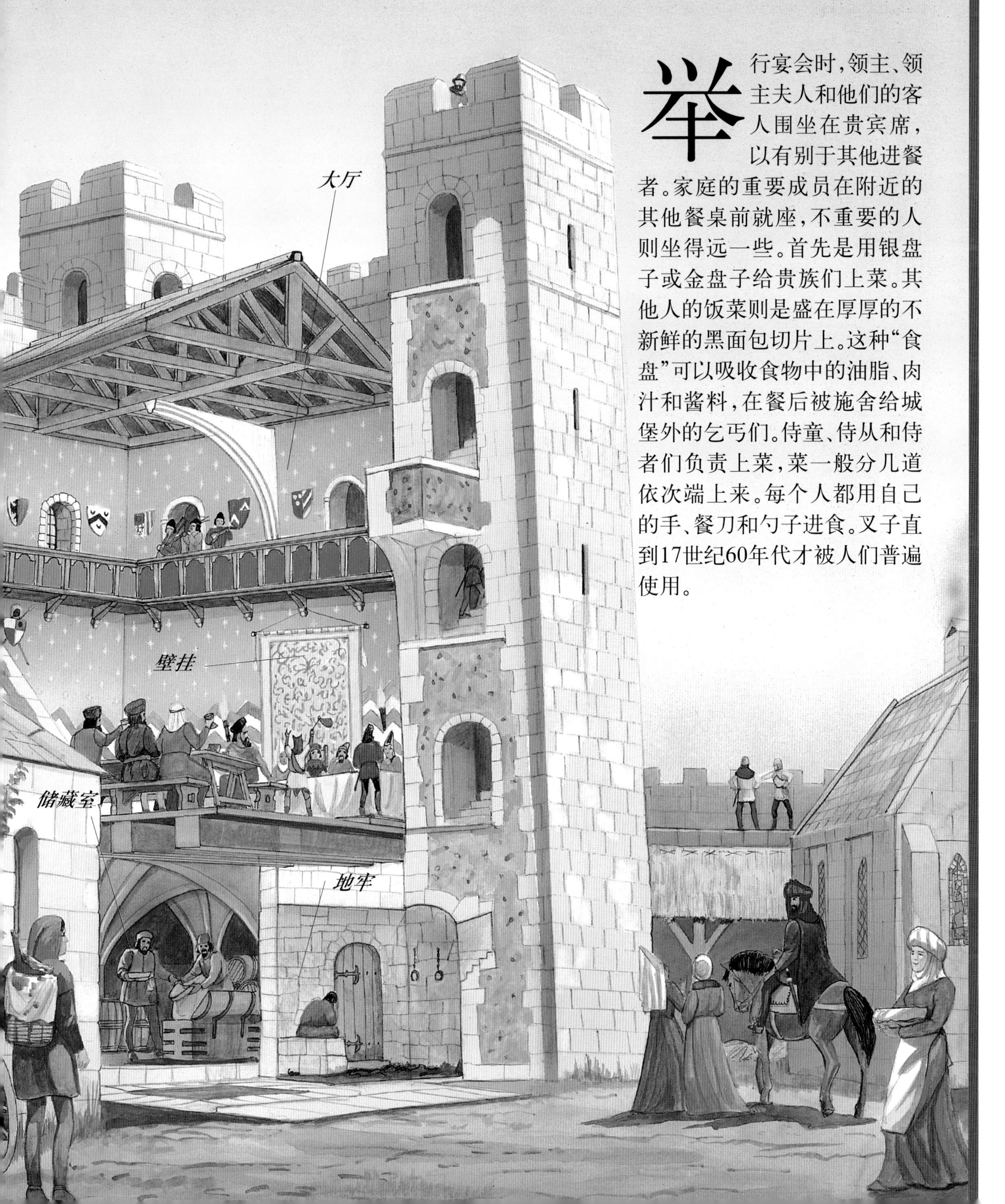

成为一名骑士

作为侍童，一个年少的男孩需要侍候领主进餐，跑腿送信，并学习贵族社会生活中所有的文明举止。他要学习法语（反正是大多数人都说的语言）和拉丁语。而学习格斗时，木质的刀剑则是首选的武器。

大多数中世纪的男孩都渴望成为一名骑士，然而只有那些富裕家庭出身的孩子才会被选中接受骑士训练。不过远离家园的侍童学习生活必定是很艰难的。

成为一名骑士需要长年的训练。富人家的男孩大约在8岁的时候，就被送往城堡从事侍童工作。在城堡里，他将在教师的照顾下学习读书、写字以及社交的技巧和良好的礼节。如果侍童表现出色，并有潜力可挖，就会在大约14岁时升为侍从。他会被分配给某位骑士，并随着那位骑士参加对抗比赛或者战役。侍从的职责还包括清洁、护理骑士的盔甲和武器。他将学习如何在15分钟内为骑士穿好盔甲参加战斗。在见习期间，男孩会学到一名骑士必备的技能——马术以及在战场上如何运用刀剑和长矛。一名优秀的侍从到21岁就可以成为一名骑士了。

侍从重要的工作之一就是帮助骑士穿金属盔甲（右图）。大部分盔甲都是由零散的配件组成，需要绑系在盔甲下面带护垫的束腰紧身衣上。

马术非常重要。侍从要学习在战斗中驾驭强壮的种马，这种马与其成为侍从之前驾车的马迥然不同。长矛训练时需要侍从骑着马冲向一个旋转着的枪靶。如果侍从没能击中目标或是动作太慢，就会被摇摆的沉重的麻袋打中。

有经验的骑士教导年轻的侍从战场上的战术和规则。侍从们将看到一些重要的技巧演示——如摔跤、射箭以及如何使用刀剑、斧头、长矛和钉头槌。侍从必须穿着金属盔甲完成这些训练。有的盔甲重逾30千克。

一名成功的侍从到了21岁，将由其领主或是训练他的骑士授予骑士的爵位。这种授爵仪式一般都在教堂举行，仪式的前一天晚上侍从要独自一人度过。仪式上他将被授予剑和马刺，授爵者用剑在其双肩各点一下以标示他新的身份。骑士要遵守骑士制度的特殊准则。他要发誓具备绅士风度以及可敬、诚实和献身的美德，要保护教会和穷苦大众免受不公正的待遇。

马上比武大会

马上比武大会是模拟的战斗，它不仅给骑士们提供了挑战的机会，又让贵族们得到了娱乐。骑士们齐聚一堂展示他们的财富、力量和技巧。人们在这场盛大的比赛中为自己喜欢的骑士呐喊助威。胜者的奖品是丰厚的——失败者将他们宝贵的盔甲和坐骑让给胜者。

奖品意味着马上比武大会不仅仅为骑士们提供了获得荣耀的机会，而且对技艺高超的骑士们来说还可以大赚一笔。

马上比武大会使用的武器和盔甲都是特制的。长矛的金属枪头被拓宽了，以减小打斗时造成的伤害。剑刃是钝的，钉头槌也是木头制成的。轻质的钢盔顶上有闪亮的鸟冠，人们能通过它识别骑士的身份。盾牌的右上角去掉了，这样骑士可以在马上手持长矛（长矛放在盾牌角上）急速前进。

马上比武大会开始前会搭建高大的帐篷或台子，为领主、领主夫人和裁判们提供更好的视野观看比赛。汇集在此的各地骑士们都住在小帐篷里——据说只有最高贵的贵族才能住进城堡。

战争游戏

最常见的一对一格斗方式之一就是马上长矛比武。比赛中骑士们骑着坐骑手持长矛向对方冲去。在后来的比赛中还增设了比赛护栏，以防止双方迎面相撞。骑士们在比赛中致残甚至死亡是很常见的事情。骑士们的团队对抗被称为混战。每一队最多可拥有20名骑士，全部都骑马作战。对抗时可以使用长矛，但是在棍棒比赛中只能使用钝剑或棍棒。

马上比武大会由裁判严格地控制。如果一名骑士作弊或使对方受辱，裁判将强迫其退出比赛，并判其失败。骑士们还在围栏中进行一对一的格斗比赛。在格斗双方过于激动时可以由传令员或全副武装的士兵中止比赛，将两人隔开。

围城！攻城者和守城者

在14世纪大炮发明以前，城堡几乎是坚不可摧的，因此围城就成了夺取它们的最好方法。围城是一种漫长而艰巨的战斗方式。在任何可能的情况下，只要守城者不负隅顽抗，攻城者都会劝其投降，这样可以使其免受羞辱。在这种情况下，守城的驻军和居民也会被赦免。即使开始不愿意投降，城里的人最终也会因为饥饿而屈服。

城堡的防御工事包括左图的木结构防御工事。这是一种挂在城墙上带有屋顶的木头建筑。地板上有空洞，用于快速地向敌人投放石灰、石块、沥青或沸水等。这种防御工事上面一般都覆盖着动物皮或瓦片，用来防火。

城墙的顶部还建有牢固的城齿供士兵做掩体。堞口可以让守城士兵向下面的攻城者投石射箭（右图）。

守城者在城堡内通过细窄的箭孔向外射箭（左图）。从外面看，箭孔只是城堡的一条缝隙，而从内部看却宽一些——为守城者提供射箭的视野。城齿之间还有木质挡板为守城者带来额外的防护。

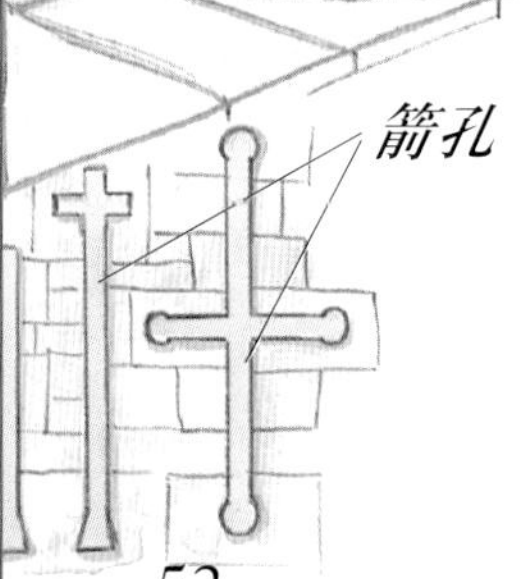

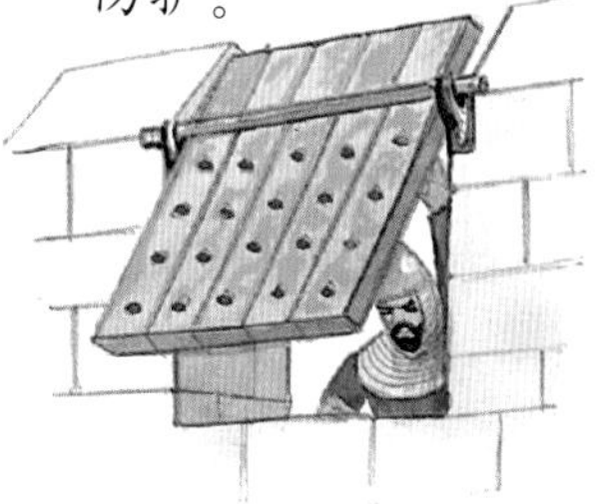

如果攻城者占领城堡，有可能会屠城。他们会将被俘的骑士作为人质，索要赎金。骑士的伙伴就得花大笔的金钱将他赎回去。

围城！战火中的城堡

攻城者有很多种方法攻城拔寨。攻城武器如投石机，可以将沉重的石块射向城墙薄弱的地方。巨弩可以将巨大的投枪射向敌军。还有一种毁坏城墙的方法就是釜底抽薪。沿着城墙在下面挖掘坑道，并用木头支撑坑道，当木头燃烧后，坑道就会塌陷，城墙也会跟着下沉。围城可能会持续数月，甚至数年之久。通常的结果不是守城者饿死，就是他们开城投降。

投石机这样的武器（右图）是在攻城现场制作的。巨大的悬臂一端拴着吊索，可以系上石块、动物的尸体，甚至是砍下的人头。当重物把悬臂的另一端坠下时，悬臂就向上弹起，将“弹药”射向城堡。

投石机

攻城锤和掩体

攻城塔

攻城塔一般有3～5层，足以从上方俯瞰城堡的城墙。攻城塔上面覆盖着皮革，可以防火。其底部有轮子，可以推着前进。有些塔的顶部甚至装有弹弓。塔上还可以放下吊桥让攻城者冲进城堡作战。攻城塔在1099年欧洲骑士十字军东征，围困耶路撒冷的战斗中得到了成功的应用。

世界各地的城堡

全世界的城堡都拥有坚固的城墙和安全的防御工事。每座城堡都反映了其建造时的社会和时代背景。从有斜坡屋顶的武士城堡，到莫卧儿王朝的巨大红石墙城堡，我们可以看到各种各样不同风格的城堡。但14世纪大炮发明之后，城堡的军事价值大大降低了。没有任何城堡能够经受得住远程大炮的轰炸。战争也不再局限于贵族之间或领主之间，而是升级为国家之间的大规模军事行动。社会变得稳定后，贸易也成为了聚敛财富的新方式，而不再限于继承爵位和财产了。

古罗马人拥有纪律严明的军队。他们可以在任何地方按要求快速地建好壕沟和要塞。有时这些建筑会演变成永久的军事基地。上面的罗马雕刻作品展现了古罗马人坚固的堡垒。

最有名的十字军东征时的城堡是位于叙利亚的克拉克骑士城堡（左图）。撒拉逊人占领期间，增修了一道外墙。

1570年到1690年间是日本城堡修建的黄金时期。姬路城堡（上图右）于1609年完工。这座美丽的城堡全是木结构的，装饰着精美的图画和雕饰。它也被人称为白鹭城堡，因为其塔尖很像飞行中的鸟。一名将军为了展示其财富和权力，修建了这座规模宏伟的城堡。

13世纪的西庸城堡（右图），坐落在瑞士日内瓦湖中的一座岛上。那里自古就是各种要塞修建的常选地点，修建的主要目的是控制湖中的航运。城堡内部的房间装饰精美，绘有鸢尾花的大厅也非常明亮。

虞塞城堡坐落在法国卢瓦尔河谷地区的希农森林的边缘。该城堡是1485年在一座中世纪城堡的基础上修建而成的，是文艺复兴时期城堡的绝佳代表。极度奢华的城堡内饰、童话故事中的塔楼，这些都是为了取悦法国宫廷中的贵族。

印度巨大的阿格拉城堡（上图），围墙长2.4千米，高21.3米。城堡从莫卧儿皇帝阿克巴（1542年至1605年）执政时开始修建，到其孙子执政期间完工。城堡呈三角形，用红砂石修建而成。

由巴伐利亚国王路德维西二世修建的新天鹅城堡（左图）坐落在德国莱希山谷中一处高高的岩石上。这座梦幻般的建筑于1886年完工，耗资巨大。城堡建成后不久，国王因为抑郁而投水自尽。

英国王室仍将温莎城堡（城堡局部图如下）作为他们的家宅。1992年，一场大火烧毁了城堡多间精美的房间，包括礼拜堂和宴会厅。这些房间经过能工巧匠的修复于1998年重新向公众开放。

贵族和商人们在废弃的城堡和要塞遗址上修建他们自己的城堡。这些新的建筑并不是真正意义上的城堡。它们的城齿和堞口仅仅作为装饰，而不具备防御的功能。

今天，无数的游客成群结队地游览世界各地的城堡。有一些城堡只剩下了外壳，但大部分都作为国家的珍贵建筑得到了妥善的保养和修缮。每座幸存下来的城堡都是当年居住其中的人们生活的证明。

词汇表

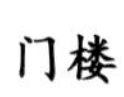

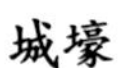

中世纪
指公元476年西罗马帝国灭亡到公元1640年英国资产阶级革命这段时间。

领主
中世纪时期的贵族，为国王管理大片的土地。

门楼
抵御敌军进城的建筑。

城壕
一条围绕城堡的深深的注水沟渠，是城防的重要组成部分。

礼拜堂
基督教(新教)教徒举行宗教仪式的场所。

城堡要塞
城堡的中心建筑，贵族和其家人的住所也在其中。

侍从
骑士的学徒和私人的跟班。

枪靶
用来练习长矛冲刺的器械。

马上长矛比武
两名骑士骑在马上手持长矛互相冲刺的比赛。比赛的目的是将对方打下马。

纹章
代表骑士身份的标志。

长矛
骑士在马上使用的带有图案的长枪。

城齿
城垛上空隙之间的突起结构。

堞口
城堡上方的石头工事，可以从这里向下面的攻城者投放各种武器。

吊桥
可以升降的桥，控制城堡的交通。

箭孔
城堡墙上可以向外放箭的又长又窄的开口。

投石机
一种攻城用的大型投石器。

吊闸
可以升降、覆盖着金属的木栅栏城门。

地牢
关押犯人的地下房间。

赎金
用来换取俘虏自由的金钱。

围城
包围一座城堡并切断其补给供应，以强迫其守军投降。

攻城塔
塔状的用来进攻城堡的建筑。

掩体
供士兵射击和隐蔽的工事。

莫卧儿王朝
巴布尔建立的印度朝代。

温莎城堡
建于11世纪的英国著名城堡，迄今仍有人居住。

十字军东征
11世纪基督教和穆斯林军队之间的战争。

幕墙
城堡外围的城墙。

城堡常识

英国苏塞克斯郡的赫斯特蒙索城堡是一座红砖修葺的长方形城堡。城壕和高墙并不是它的主要防御体系，而是坐落在吊桥之后的高塔。高塔上装备了大炮，塔顶还有作战平台。

13世纪时，加泰罗尼亚的国王们重建了8世纪的西班牙赛歌维亚的阿拉伯要塞(下图)。要塞很好地利用了一处露出地面的天然岩层。1862年，城堡被大火摧毁，之后又得到了重建。

英国东部的赫丁翰城堡建于1215年，是一座典型的正方形岩石城堡。城堡的四角都有塔楼加固。

国王爱德华一世1266年围攻了英国的凯尼尔沃思城堡。然而在国王长达一年的攻势下，城堡里的人都没有屈服。这要归功于城堡出色的防御体系。其城壕让地下破坏无法施展。攻方只能依靠远程的投石机轰击城堡。

英国威尔士的波马利斯城堡原来有两层外墙设计。一层在另一层的里边，每一层都有塔楼加固。国王爱德华一世1277年开始下令修建，然而在未完工前他就死去了。工程在1307年中止。

德国的普法尔兹芬斯滕城堡(下图)六边形的外观非常与众不同。该城堡是作为征税站由巴伐利亚的路德维格1327年修造的，整个建筑就坐落在靠近莱茵河考布地区的一座天然小岛上。屋顶上增加的部分是17世纪建造的。

英国的什鲁斯伯里城堡原来有一座建在丛林的木塔，然而在1270年它因为年代过久而坍塌了。

叙利亚的克拉克骑士城堡1099年被法国十字军占领。他们对城堡进行了强化的加固和扩建，以驻扎更多部队。城堡内部有独立的通水管道和蓄水池供居民使用。

德国的新天鹅城堡极为奢华。它安装了中央取暖系统，厨房甚至有冷热自来水。从中世纪城堡中复制下来的城垛等结构已经没有防御功能，完全变成了装饰。

英国苏格兰爱丁堡附近的波兹威克城堡始建于1430年。城堡设计简单却非常坚固。光外延的建筑就使用了超过13,000吨石料。城墙超过4米厚。

日本的姬路城堡有一套复杂的防御体系。保护城内庭院的建筑石墙上有20个门楼。城内8层高的主要塞与3座小型要塞相连。虽然城墙壁垒是岩石修建的，城堡的主体仍是木头结构。

英国威尔士的卡纳封城堡的鹰塔高35米。它还曾有独立的水门和码头作为逃往海上的通路，同时也可以在被围困时接收补给。

法国阿维尼翁的教皇行宫修建于1370年。当时有两位处于敌对状态的教皇。

多尼要塞城堡(上图)孤零零的矗立在英国苏格兰的高地上。它是环水建造的加固高塔建筑的典型代表。四面环水易守难攻，只有一座小桥和大陆相连。

著作权合同登记号　图字：01-2006-6218　01-2006-6208

图书在版编目(CIP)数据

超级建筑 / (英) 马兰姆，(英) 博金著；(英) 博金绘；
施伟译. -北京：北京科学技术出版社，2010. 1
(深度探索)
ISBN 978-7-5304-3841-1
Ⅰ. 超…　Ⅱ. ①马…②博…③博…④施…　Ⅲ. 建筑－世界－少年读物　Ⅳ. TU-49
中国版本图书馆CIP数据核字（2009）第187142号

超级建筑

作者：[英]约翰・马兰姆　[英]马克・博金　绘者：[英]马克・博金
译者：施伟　策划：刘杨　责任编辑：蒲仪
出版人：张敬德　出版发行：北京科学技术出版社
社址：北京西直门南大街16号　邮政编码：100035
电话传真：0086-10-66161951(总编室)
0086-10-66113227(发行部)　0086-10-66161952（发行部传真）
电子信箱：bjkjpress@163.com　网址：www.bkjpress.com
经销：新华书店　印刷：北京捷迅佳彩印刷有限公司
开本：940mm×1194mm　1/16　印张：4
版次：2010年1月第1版　印次：2010年1月第1次印刷
ISBN 978-7-5304-3841-1/T・598

定价：24.80元

深度探索

内含奇妙切页，直面精彩一幕！

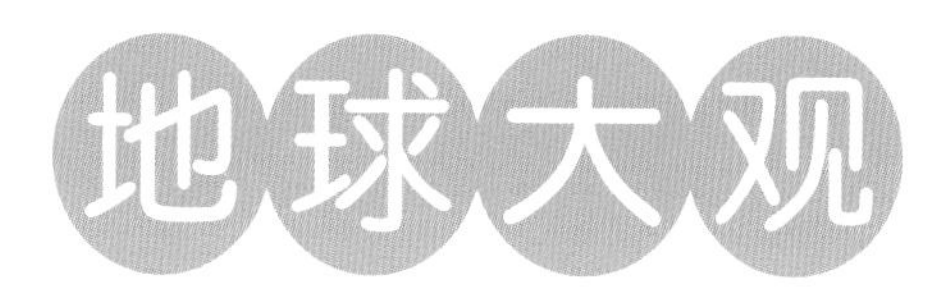

作者：[英]凯瑟琳·西尼尔

绘者：[英]戴维·安特拉姆　[英]卡罗琳·斯克雷斯

译者：施伟

北京科学技术出版社

目录

地球

6 大爆炸
宇宙的诞生

8 我们在宇宙中的位置
地球在银河系中的位置以及与我们毗邻的行星

12 行星地球
地球的构成及其环绕太阳的公转

14 大洋之下
千奇百怪而又多姿多彩的海洋生物

16 陆地的形成
岩石、火山、山脉的形成和地震的发生

20 极限环境
在两极、沙漠和山脉等极限条件下繁衍生息的动物

24 生机勃勃的地球和人类
河流、湖泊和森林中的生物，以及人类给城市带来的影响

29 地球大气层
环绕地球的大气层与天气

30 词汇表

31 有关地球的常识

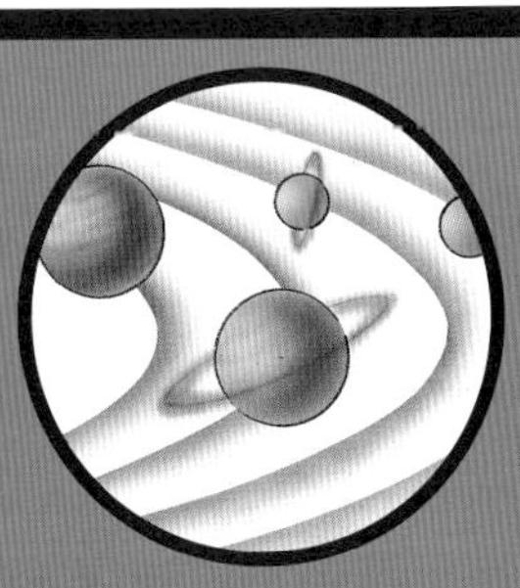

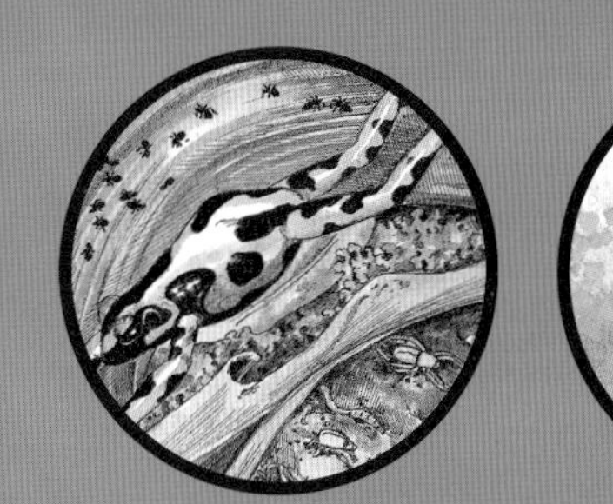    

热带雨林

34 什么是雨林？
雨林的特点和类型

36 种类繁多的植物
树木，蕨类、草本类和苔藓植物争相抢夺阳光

38 动物的天堂
非人灵长类动物和其他珍稀物种

42 丛林居民
土著人的生活

44 地面
阴暗、潮湿、安静

47 树冠
雨林的能量之源

48 白天
色彩斑斓的世界

51 夜晚
夜行性动物登上舞台

52 未发掘的宝藏
潜在的丰富资源

55 破坏与毁灭
人类给雨林造成的压力

56 未来的希望
合理的可持续使用雨林的方式

58 词汇表

59 有关雨林的常识

地　球

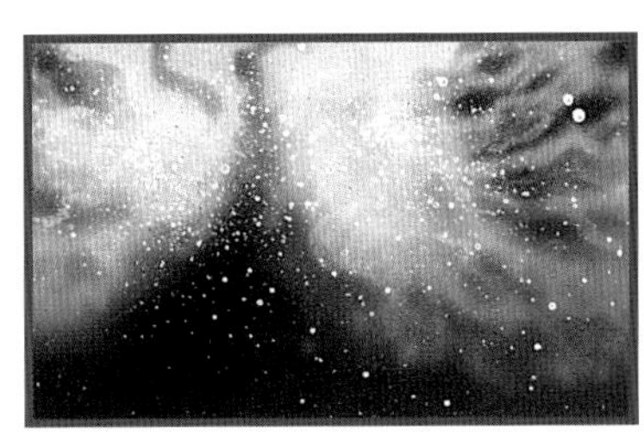

作　者：[英] 凯瑟琳·西尼尔

绘　者：[英] 戴维·安特拉姆

[英] 卡罗琳·斯克雷斯

译　者：施　伟

大爆炸

宇宙诞生于150亿年前的一次大爆炸，顷刻之间宇宙从一个比针孔还小的点膨胀成为一个巨大的空间。宇宙现在仍在膨胀——在大爆炸之后的数十亿年里，银河系、太阳系、行星以及卫星相继形成。

我们所在的行星——地球是太阳系中以太阳为中心公转的众多行星之一，太阳系是银河系的一部分，而扁平的、碟子一样的银河系又是一个更大星系的一部分。没有人知道宇宙中到底有多少星系。

星系是由大量恒星、尘埃和气体组成的。上图中的旋涡星系是最常见的星系类型之一。这种星系有数个旋臂从星系的系核中盘旋而出。看上去像压扁的球体的椭圆星系也很常见。内部恒星还未形成任何规则形状的星系是不规则星系，它是所有星系中最少见的。

我们在宇宙中的位置

我们所在的星系是一个由恒星、行星、尘埃和气体组成的复杂的天体系统，是一个中心鼓出的旋涡星系。星系的中心是年老的恒星，几条旋臂从中心延伸出来，形成了一个碟子的形状。这个被称为银河系的大碟子中有年轻的恒星、星团和小旋涡星系。太阳在银河系的边缘，距离银河系中心约 27700 光年。我们从地球上至少能看到 1000 亿颗恒星，它们都属于银河系。这些环绕着整个银河系的恒星还有一道球形的光晕，是由年老的恒星构成的，这些恒星以不规则的球状星团形式聚合在一起。

太阳（下图）是太阳系的中心，地球和太阳系中的其他行星都围绕它转动。太阳是一个发光的气体球，其大气成分 74% 为氢气，26% 为氦气。在太阳的核心，核裂变的过程将氢转化为氦，并以发热和辐射的形式释放出大量的能量。

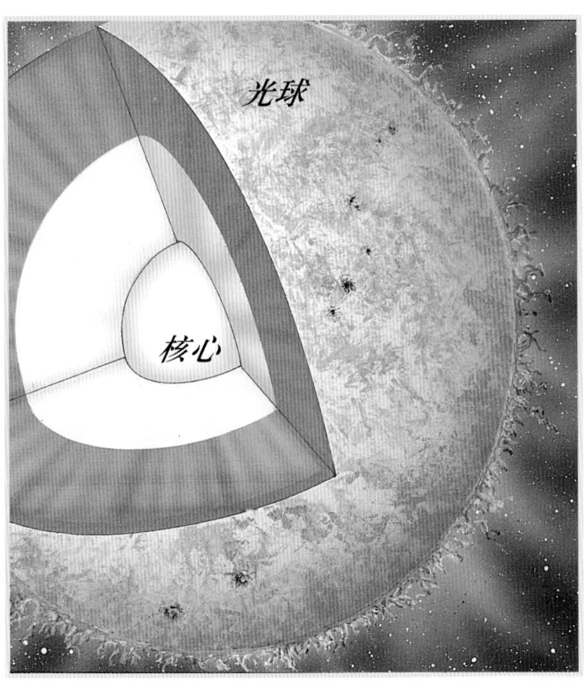

太阳核心的密度极大，温度奇高，达到 1500 万℃，而体积只占整个太阳的千分之一。太阳剩余的部分——光球，主要由气体构成。

太阳

太阳位于太阳系的中心，太阳系中的行星、卫星、彗星、尘埃和碎片组成的天体系统都围绕着它运转。行星形成于46亿年前，是在碎片和太空中的其他物质汇聚之后，球形的气体和尘埃被压缩成岩石球体而形成的。许多的行星至今还残留着碎片撞击的痕迹，这些撞击在40亿年前的频率是现在的2000倍。

8

太阳系中的行星（按照从小到大的顺序）

1. 水星	5. 海王星
2. 火星	6. 天王星
3. 金星	7. 土星
4. 地球	8. 木星

类木行星——木星、土星、天王星和海王星——都拥有大量的卫星（土星的卫星超过35颗，木星的卫星超过61颗）。这些行星拥有金属的内核，但是被浓密的充满旋涡的大气层所覆盖。

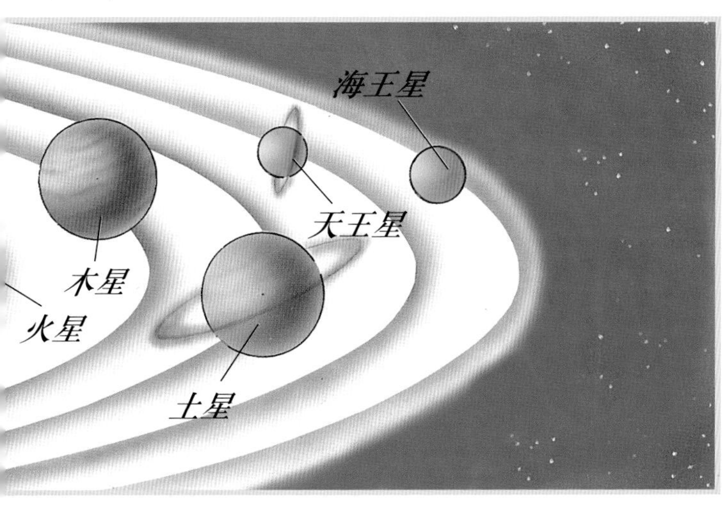

在火星与木星之间有一条很宽的碎石带叫做小行星带。迄今为止已经有3500颗主要的小行星被确认。其中最大的一颗谷神星直径约为1000千米。在这条小行星带上还有大约1亿颗更小的小行星。近来，人们认为这些小行星是一些拥有金属地核和岩石地幔的小型行星碎裂而形成的。

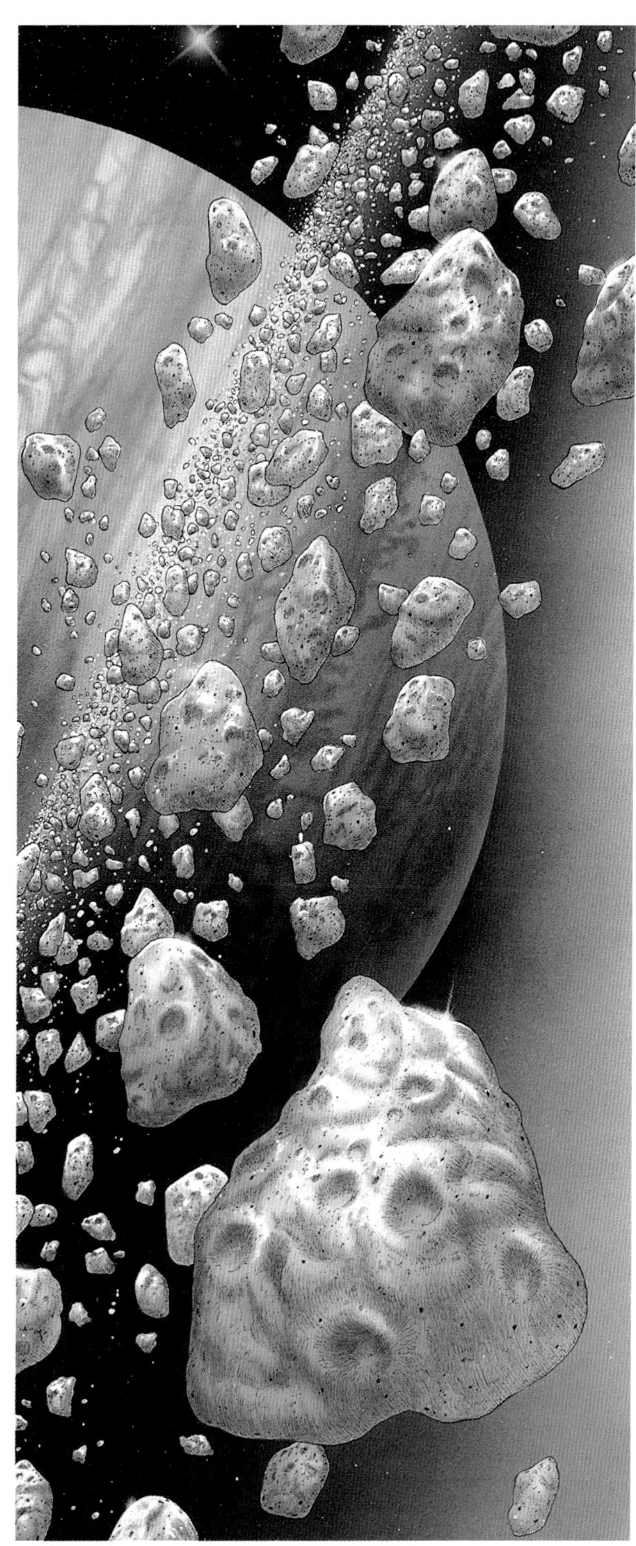

月球（上图）是地球唯一的天然卫星。它的质量是地球的 1.23%，上面没有大气层。月球的表面遍布山脉、陨石坑和平原，这些都是 45 亿年前月球遭受岩石撞击时所形成的。月球中心的热辐射曾经导致地表的一些岩石熔化，形成熔岩池，冷却后就形成了湖的样子。但还没有证据表明月球表面曾经存在过活水。

行星地球

地球是太阳系中距离太阳第三近的行星。它是一颗略扁的球体，赤道直径约为 12756 千米。地球每 24 小时自转一周，这就是我们的一天。其绕太阳公转一周需要 365.25 天，这就是我们的一年。这样每隔 4 年便会多出 1 天，这 1 天在日历中是闰年的 2 月 29 日。由于地球的自转轴有一定的倾斜角度，所以在一年之中地球表面从太阳吸收的热量并不相同，这种差异形成了春、夏、秋、冬四个季节。

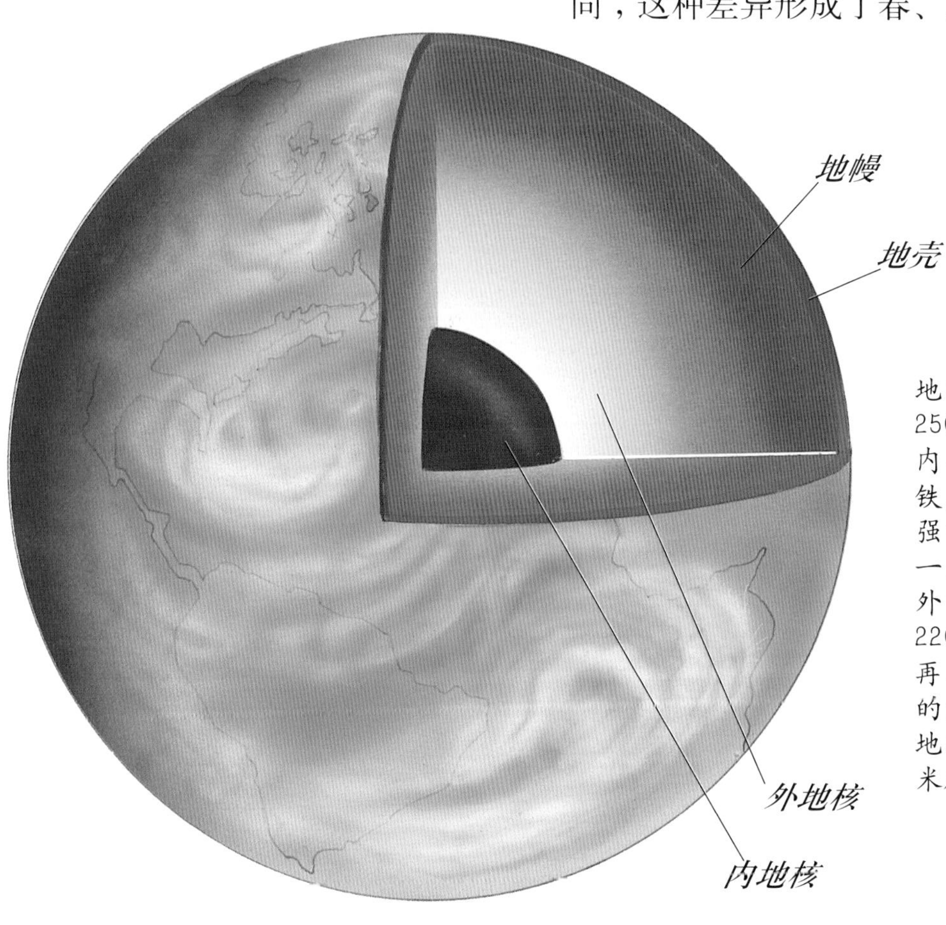

地球有一个直径约为 2500 千米的实心金属内核，内核的 90% 是铁，极高的温度和极强的压力使这些金属一直呈液态。内核的外面包裹着一层厚达 2200 千米的液态外核。再外层是半熔解状态的岩石层，叫做地幔。地球表层是 6 ～ 40 千米厚的岩石地壳。

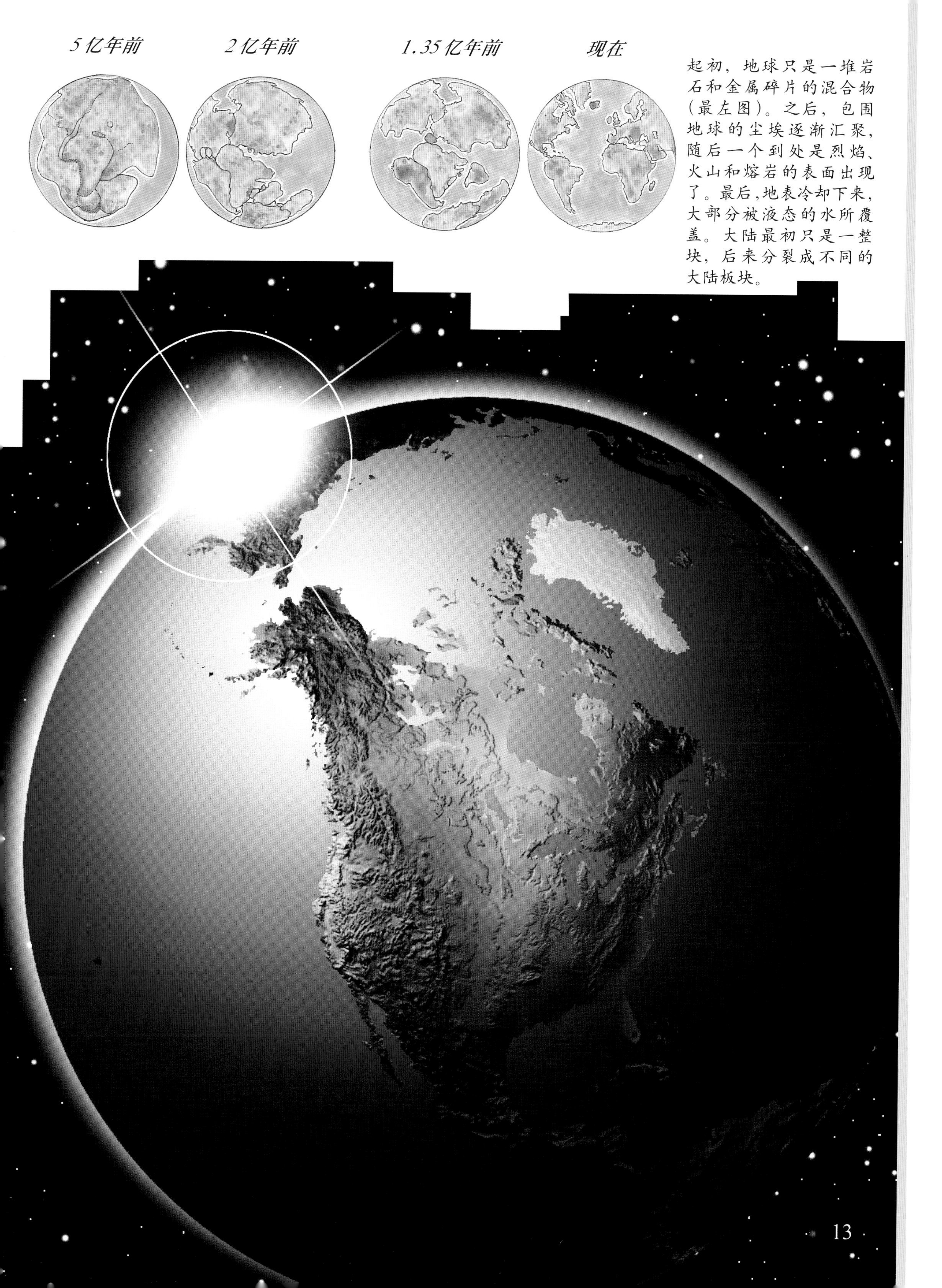

起初，地球只是一堆岩石和金属碎片的混合物（最左图）。之后，包围地球的尘埃逐渐汇聚，随后一个到处是烈焰、火山和熔岩的表面出现了。最后，地表冷却下来，大部分被液态的水所覆盖。大陆最初只是一整块，后来分裂成不同的大陆板块。

在大洋的深处，海底火山的喷发(右图)使海水升温，促使细菌大量繁殖。很多已经进化的物种以细菌为食，包括巨型鱿鱼。20 世纪 80 年代，这种生物的尸体在新西兰海岸被打捞上来，在那之前巨型鱿鱼一直被认为是一个神话传说。

大洋之下

海洋占地球表面面积的 71%。地球上的海洋主要有太平洋、大西洋、印度洋、北冰洋。事实上，地球上有液态水是生命得以存在的主要原因。没有水，任何生命都不可能存在。早期的生命形态，如细菌和单细胞动物都是在水中完成进化的，今天的海洋更是物种极为丰富的生物之家。丰富的生态系统在海岸和靠近海面的水域里随处可见。最近科学家们发现，深达 11000 米的海沟中也充满生机，有大量奇异、有趣的生物在那里安家落户。这些海洋深处的区域被称为深海区。

认识深海区

1. 鼠尾鳕
2. 深海虾
3. 深海琵琶鱼
4. 长茎海百合
5. 深海鼬鱼
6. 深海鳗鱼
7. 宽咽鱼
8. 海底火山

深海区

澳大利亚海岸的大堡礁绵延1930千米，是世界上最长的珊瑚礁。珊瑚礁之间的缝隙是鳗鱼、海虾和管虫等生物的绝佳藏身之所。喇叭鱼的唇部非常适合在珊瑚缝隙的深处寻觅食物。还有其他一些动物，如棘冠海星和鹦嘴鱼，都喜食珊瑚虫。

认识珊瑚礁

1. 绿鹦嘴鱼
2. 石鲈
3. 麋角珊瑚
4. 黑鳍礁鲨
5. 石鲈
6. 棘冠海星
7. 蓝条石鲈
8. 袖扣海兔螺
9. 软珊瑚虫
10. 小蓝刺尾鱼
11. 蛇尾海星
12. 管状海绵
13. 海胆
14. 海蛞蝓
15. 刺珊瑚
16. 喇叭鱼
17. 软珊瑚
18. 柳珊瑚
19. 女王刺蝶鱼
20. 女王鹦嘴鱼
21. 蓝刺尾鱼
22. 巨海龟
23. 管虫
24. 四眼蝴蝶鱼

陆地的形成

我们脚下的陆地看似坚固，其实它表面的地壳非常活跃，并处于不断运动之中。地球的表层由巨大的、不停运动的板块构成。板块的交接处形成断层，那里是火山喷发和地震的多发地带。地球表面主要有六大板块，当然也还可以继续分成很多小的板块。在两个板块的交接处，地球的表层非常不稳定，两个板块互相交错，挤在上方的板块将形成山脉，而滑入下方的板块又重新变成地幔的一部分。当火山喷发时，熔化的岩石从火山口喷出，顺山流下，冷却凝固后会形成新的岩石。

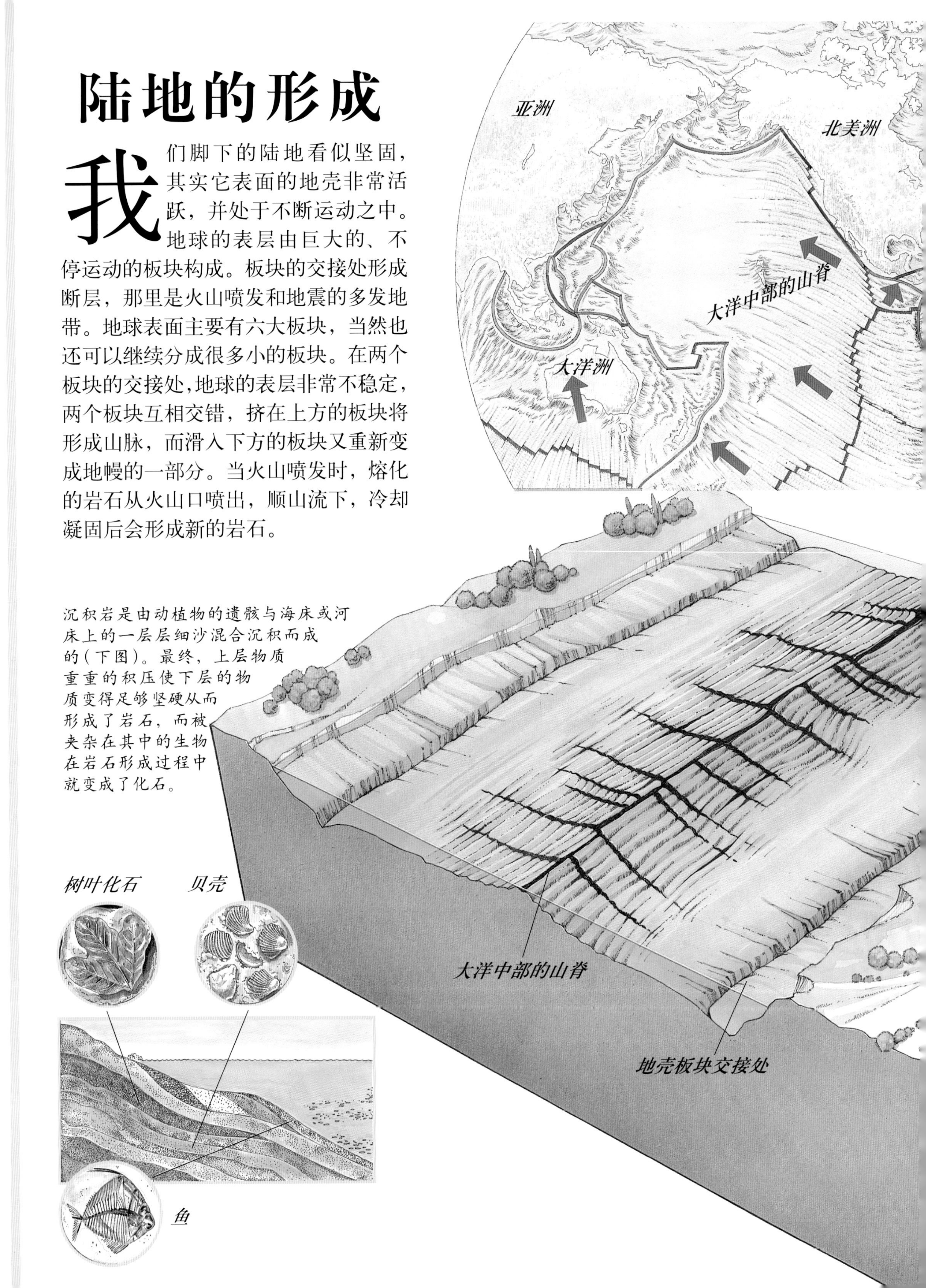

沉积岩是由动植物的遗骸与海床或河床上的一层层细沙混合沉积而成的（下图）。最终，上层物质重重的积压使下层的物质变得足够坚硬从而形成了岩石，而被夹杂在其中的生物在岩石形成过程中就变成了化石。

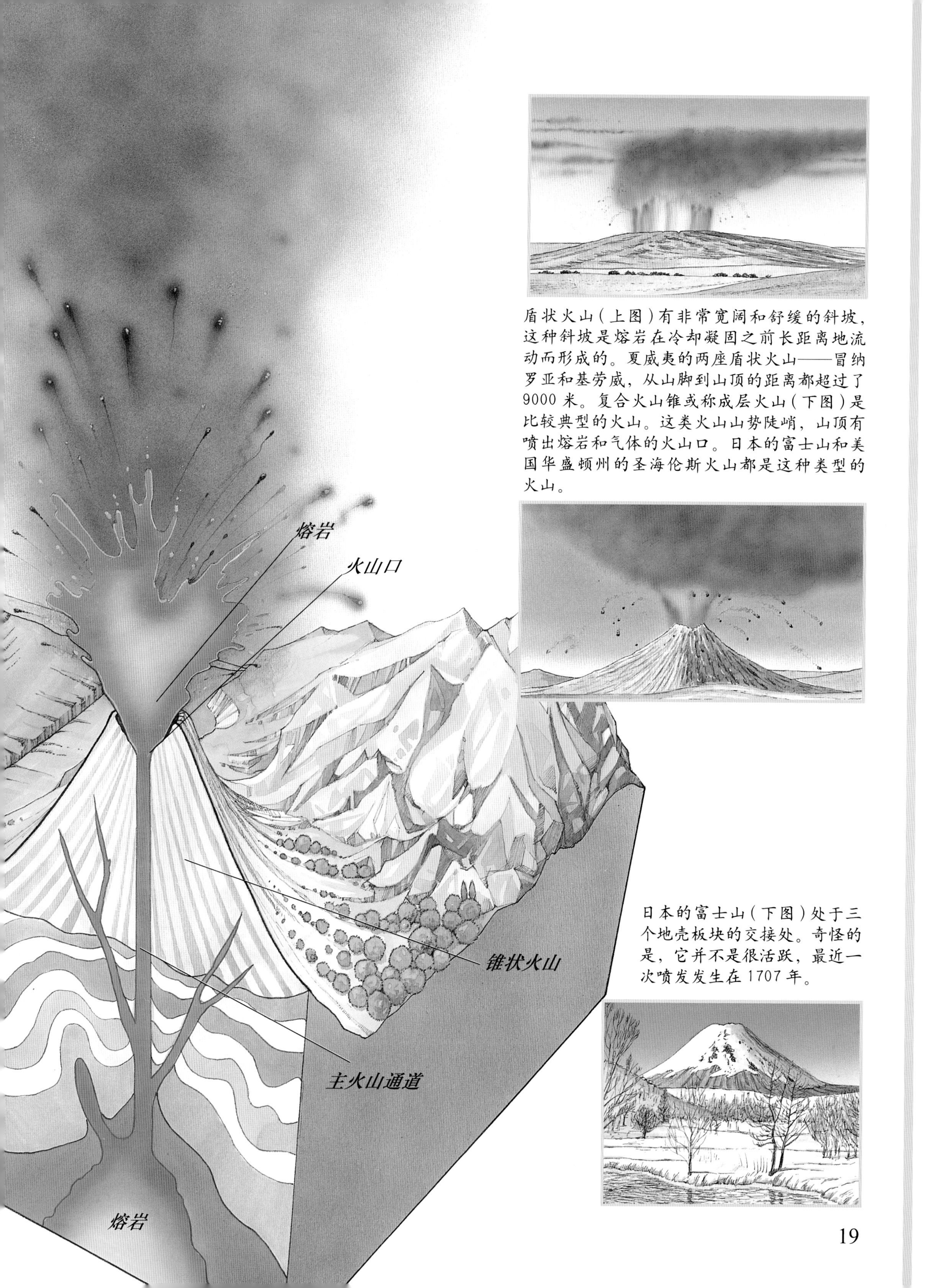

盾状火山（上图）有非常宽阔和舒缓的斜坡，这种斜坡是熔岩在冷却凝固之前长距离地流动而形成的。夏威夷的两座盾状火山——冒纳罗亚和基劳威，从山脚到山顶的距离都超过了9000米。复合火山锥或称成层火山（下图）是比较典型的火山。这类火山山势陡峭，山顶有喷出熔岩和气体的火山口。日本的富士山和美国华盛顿州的圣海伦斯火山都是这种类型的火山。

日本的富士山（下图）处于三个地壳板块的交接处。奇怪的是，它并不是很活跃，最近一次喷发发生在1707年。

极限环境

地球上最寒冷的地方是北极和南极。北极终年被冰雪覆盖，冬天的气温一般会下降到 −40℃。南极的温度更低，平均气温为 −50℃，被极厚的冰盖覆盖着，更加不适合生物生存。没有任何生命能够在极地的冰盖中心存活，但是一些动物可在极地的边缘（苔原）生活，这些地方气温稍高，有些植物能生长。苔原地区生长着灌木、地衣和苔藓，它们为一些动物在那里生存提供了食物来源。

北极

北美洲

寒冷的沙漠

苔原或极地

南美洲

南极洲

北极熊厚厚的毛皮可以抵御严寒。它们喜欢吃海豹肉和海象肉，但也会享用北美驯鹿、北极狐、鸟类和贝壳等美味佳肴。北极熊的寿命一般为 25 年。

海象和海豹生活在北极海岸附近的浅水区域。企鹅是南极独有的生物。在南极洲生活着帝企鹅和体形小一些的阿德利企鹅。

驯鹿在北美洲又被称为北美驯鹿，它们生活在所有极地的边缘地带。成年驯鹿从肩部到地面高度约为 1.5 米。鹿家族中只有驯鹿是被驯化了的动物，驯鹿过去在斯堪的纳维亚半岛常被当成坐骑或被用来拉雪橇。驯鹿的肉和奶可以食用，皮可以用来制衣和制鞋，肌腱可以用做线绳，毛可以用来填充床垫。

在寒冷的沙漠地区，降雨量非常少，只有仙人掌之类能抵抗干旱的植物才能在那里生存。而像变色蜥这样的爬行动物则在白天晒太阳，提高自己的体温，然后四处觅食，晚上体温下降后，它们就会躲在岩石下静止不动，直到次日清晨的到来。

蝎子也能在寒冷的沙漠中生存。像变色蜥一样，它们的体温和活动也随着气温的变化而变化。蝎子是令人生畏的猎手，它们尾巴上的毒液足以杀死比它本身大很多倍的动物。它们有一层厚厚的防水外壳，可以保证在沙漠中不会流失太多的水分。

麝牛能够在北极严酷的暴风雪中生存，因为它们穿着又长又厚的鬃毛皮大衣。它们经常会被狼群袭击，也曾被人类当做猎物捕杀。麝牛的数量在20世纪初急剧下降。现在，经过保护和驯养，麝牛又重新活跃在苔原地带。

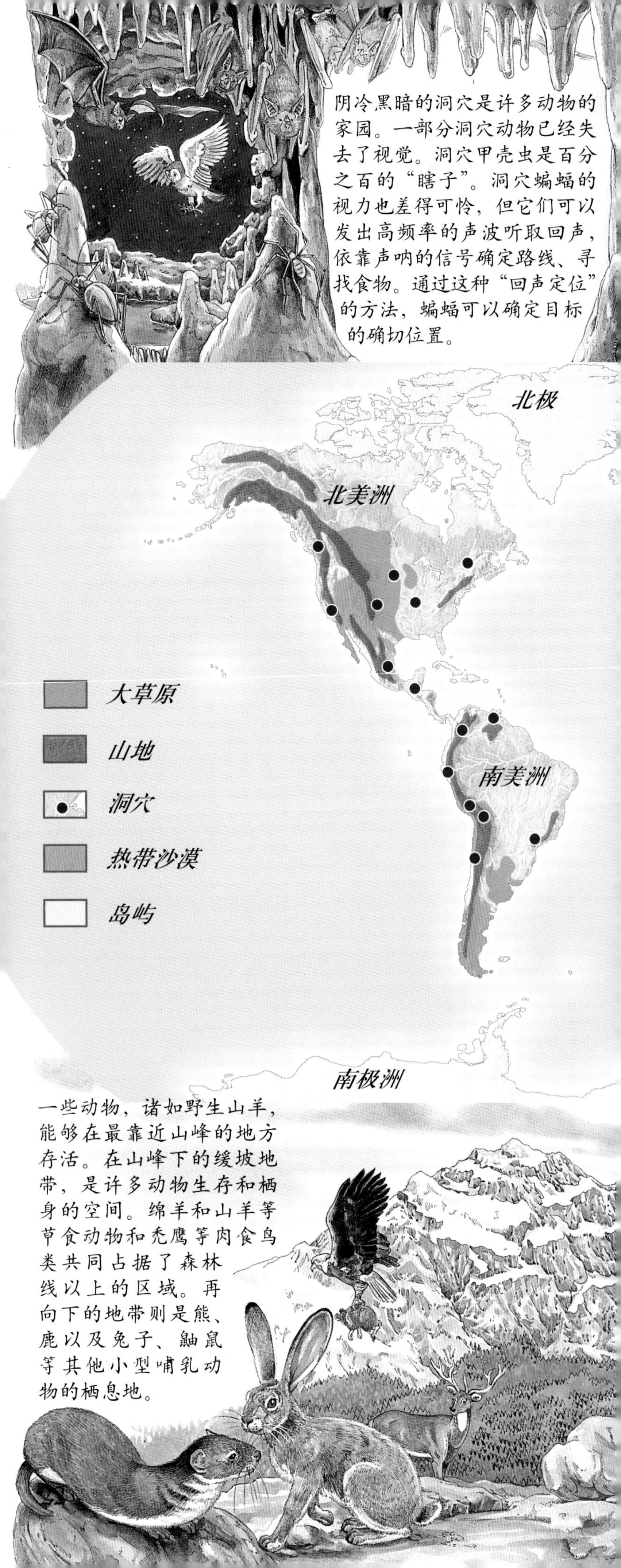

阴冷黑暗的洞穴是许多动物的家园。一部分洞穴动物已经失去了视觉。洞穴甲壳虫是百分之百的“瞎子”。洞穴蝙蝠的视力也差得可怜，但它们可以发出高频率的声波听取回声，依靠声呐的信号确定路线、寻找食物。通过这种“回声定位”的方法，蝙蝠可以确定目标的确切位置。

一些动物，诸如野生山羊，能够在最靠近山峰的地方存活。在山峰下的缓坡地带，是许多动物生存和栖身的空间。绵羊和山羊等草食动物和秃鹰等肉食鸟类共同占据了森林线以上的区域。再向下的地带则是熊、鹿以及兔子、鼬鼠等其他小型哺乳动物的栖息地。

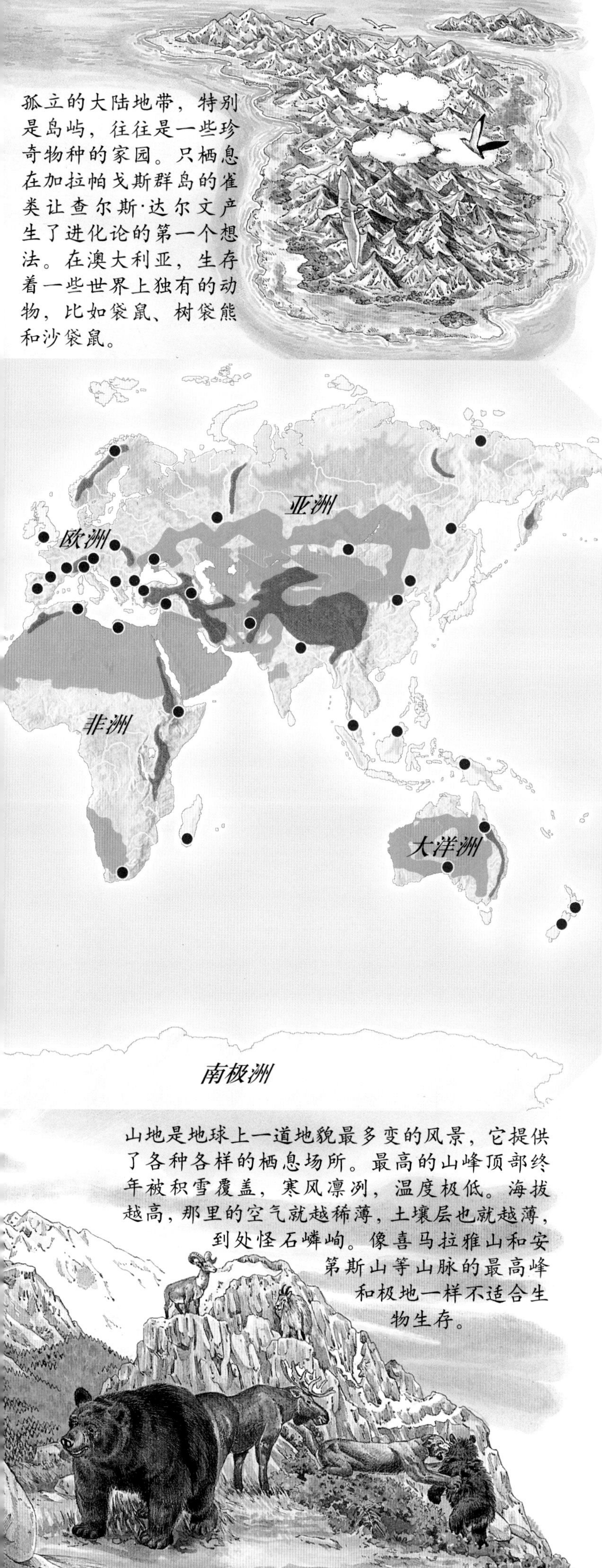

孤立的大陆地带，特别是岛屿，往往是一些珍奇物种的家园。只栖息在加拉帕戈斯群岛的雀类让查尔斯·达尔文产生了进化论的第一个想法。在澳大利亚，生存着一些世界上独有的动物，比如袋鼠、树袋熊和沙袋鼠。

南美洲和亚洲中部、北部的寒冷沙漠夏天非常炎热，冬天又异常寒冷，并有降雪。而像撒哈拉、卡拉哈里和塔尔等热带沙漠则终年干热，没有冬季。阿拉伯和澳大利亚的沙漠经常多年没有降雨。

远离两极，越靠近赤道的地方，气候越温暖。在一些降雨充沛的地区，生态环境较好，适合多种生物生存。岛屿、山地、洞穴、沙漠和平原等地貌一般都有自己独特的气候条件。生活在这些类型的生态系统中的动植物都适应了其地貌的特殊条件，并在那里繁衍生息。大部分的动植物都只能适应一定类型的生态环境，例如在沙漠地区栖息的蛇类就无法在北极的苔原地区生存。

北美洲中部有一片被低矮草类覆盖的大草原。在这片草原上常见的动物有美洲野牛和草原土拨鼠（上图）。

俄罗斯大草原冬季寒冷，夏季干热。高鼻羚羊（下图）是这片草原上最常见的蹄类动物。

山地是地球上一道地貌最多变的风景，它提供了各种各样的栖息场所。最高的山峰顶部终年被积雪覆盖，寒风凛冽，温度极低。海拔越高，那里的空气就越稀薄，土壤层也就越薄，到处怪石嶙峋。像喜马拉雅山和安第斯山等山脉的最高峰和极地一样不适合生物生存。

能够在炎热的沙漠中生存的动物是那些非常耐渴，而又能够适应强烈温度变化的动物，如蝎子、蛇和骆驼（下图）。

生机勃勃的地球……

地球表面的70%被海洋覆盖。大陆上还有一些淡水，如河流、小溪、湖泊和沼泽等。河流起源于地下湖泊、泉水或高山顶上融化的冰雪形成的淡水溪流。溪流在陆地上不断汇聚，最终形成很深的河流，冲破松软岩石和土壤的阻隔，汇入大海。有些河流流入地面上的凹陷地带，形成湖泊。沼泽和湿地总是被水淹没着，是很多动植物的家园。

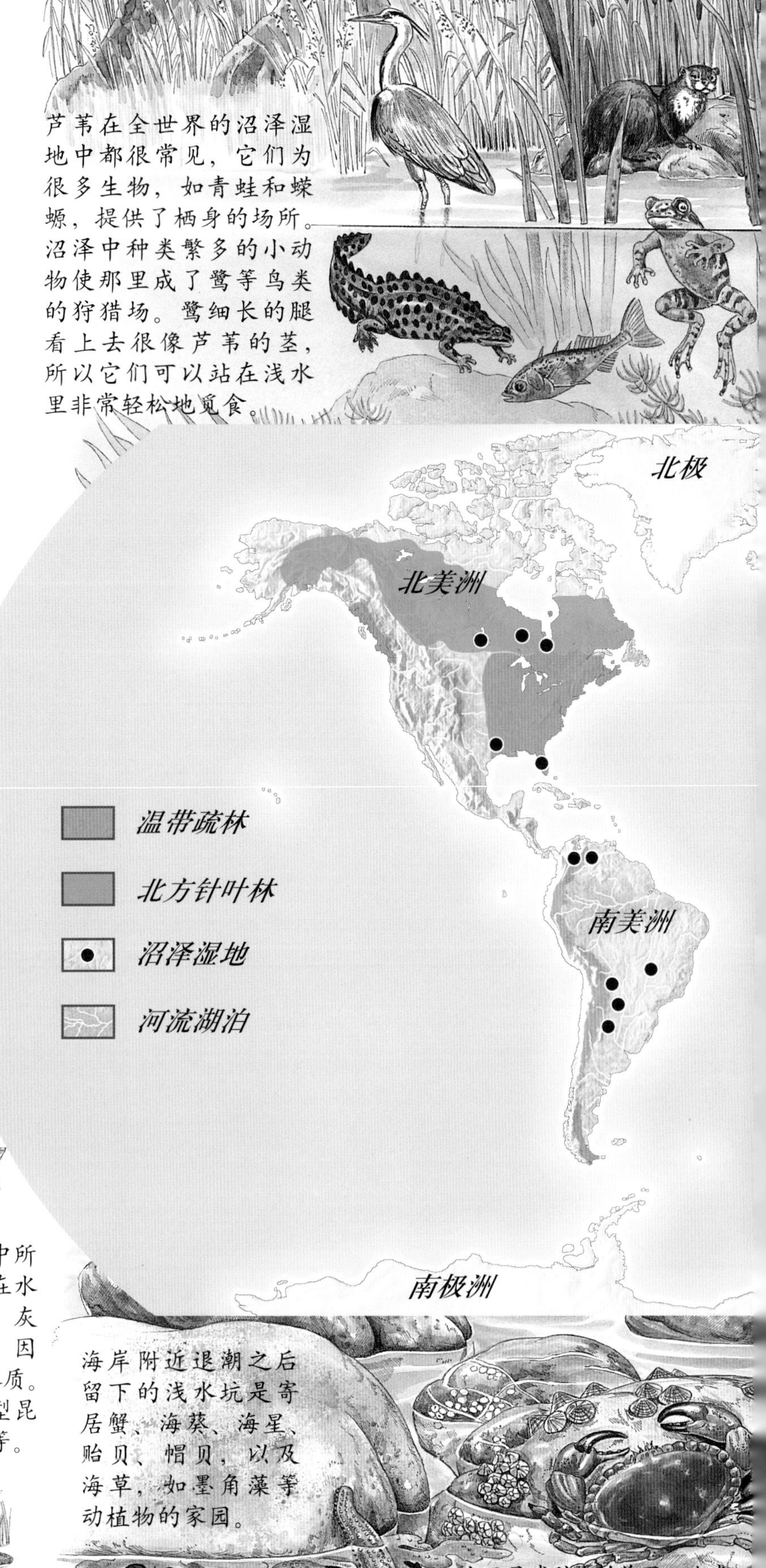

芦苇在全世界的沼泽湿地中都很常见，它们为很多生物，如青蛙和蝾螈，提供了栖身的场所。沼泽中种类繁多的小动物使那里成了鹭等鸟类的狩猎场。鹭细长的腿看上去很像芦苇的茎，所以它们可以站在浅水里非常轻松地觅食。

海岸附近退潮之后留下的浅水坑是寄居蟹、海葵、海星、贻贝、帽贝，以及海草，如墨角藻等动植物的家园。

由于月球引力的作用，地球上最靠近月亮的海面会凸出来。地球自转使得海面上的每个部分都有最靠近月亮的机会，靠近月亮的海洋部位总在变化，这就形成了每天的涨潮和落潮。

在欧洲的许多河流里都能看到鲑鱼(上图)。它们喜欢吃蜻蜓，但同时面临着燕子等鸟类的竞争，因为那些鸟类常在很贴近水面的地方盘旋，捕食昆虫。

鲑鱼需要快速流动的水中所富含的氧气，所以它们在水流缓慢的湖泊里很少见。灰鲤(下图)能大量繁衍，因为它们几乎能适应任何水质。湖泊里还栖息着一些大型昆虫，如大龙虱(左下图)等。

……和人类

所有的人类都是从大约200万年前的一小群非洲原始人进化而来的。世界的人口在过去一万多年里不断地增长，到2025年将达到85亿。随着人口的增长，地球上的自然资源越来越稀缺。森林、草原和雨林不断被开发，致使那里的野生生物失去了家园甚至面临灭绝。人们已经开始意识到不能再继续这样做了，我们必须保护自然，保护雨林。

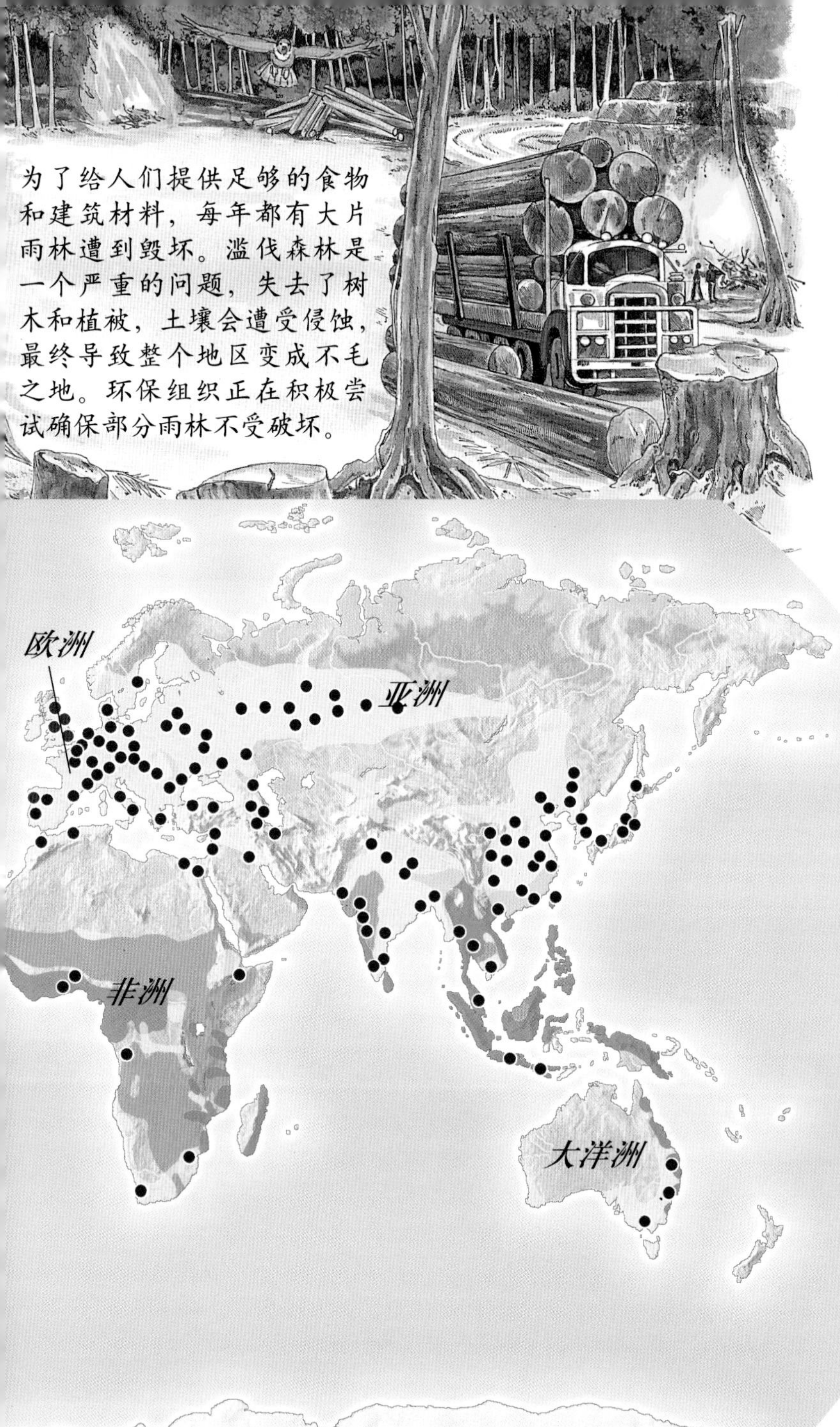

为了给人们提供足够的食物和建筑材料，每年都有大片雨林遭到毁坏。滥伐森林是一个严重的问题，失去了树木和植被，土壤会遭受侵蚀，最终导致整个地区变成不毛之地。环保组织正在积极尝试确保部分雨林不受破坏。

纽约、伦敦、巴黎和莫斯科这些大城市延伸数百公里。随着住房和办公用地的不断扩大，超过100层的建筑已经不是新鲜事物了。而在一些贫困的城市，人们还饱受着过度拥挤、疾病和贫困的折磨。

虽然看上去城市是由人类主宰的，但很多种类的野生生物也在那里安家落户。鸟类就很能适应城市的环境，狐狸和松鼠在欧洲市镇的中心也生活得很快乐。家蝇是全世界每一个城市、乡镇都很常见的一员。

雨林（上图）提供了地球上最丰富的环境资源。物种最丰富的雨林在秘鲁，这里每10000平方米的土地上就能发现283种树木。植物果实的多种多样意味着多种多样的动物可以在雨林中生存。金刚鹦鹉、大闪蝶和树蛙都可以在那里找到。

非洲平坦的热带草原上生活着大量大型的哺乳动物，如羚羊、瞪羚和斑马等。这些蹄类动物又为稀树草原上其他的肉食动物如狮子、老虎、猎豹和鬣狗等提供了食物。陆地上最大的哺乳动物，如犀牛、野牛和大象也可以在那里生存。

热层是地球大气层中最厚的一层。它从距离地面80千米的地方一直延伸到500千米处，温度也从-100℃升高到1000℃以上。外逸层是大气层的最外层。

中间层处在距离地面50～80千米之间。这一层是来自太空的碎片和陨石燃烧殆尽的地方。温度在这一层再次下降，中间层的最高处气温只有-100℃。

平流层在距离地面约10～40千米的地方。这一层是飞机飞行的地方。平流层的环境相对稳定，没有天气变化。气温在10千米以上一直比较恒定，然后逐渐上升，在与中间层的交界处上升至0℃左右。

这条曲线显示了在大气层中从地表（图表底部）一直到外逸层的最高处（图表顶部）温度变化的情况。

平流层中的臭氧层能够保护地球，让其免受太阳紫外线辐射的侵害。氟氯烃等化学物质的使用导致南极上空出现了一直不断扩大的臭氧空洞。氟氯烃和其他破坏臭氧层的化学物质现在已经被禁止使用了。

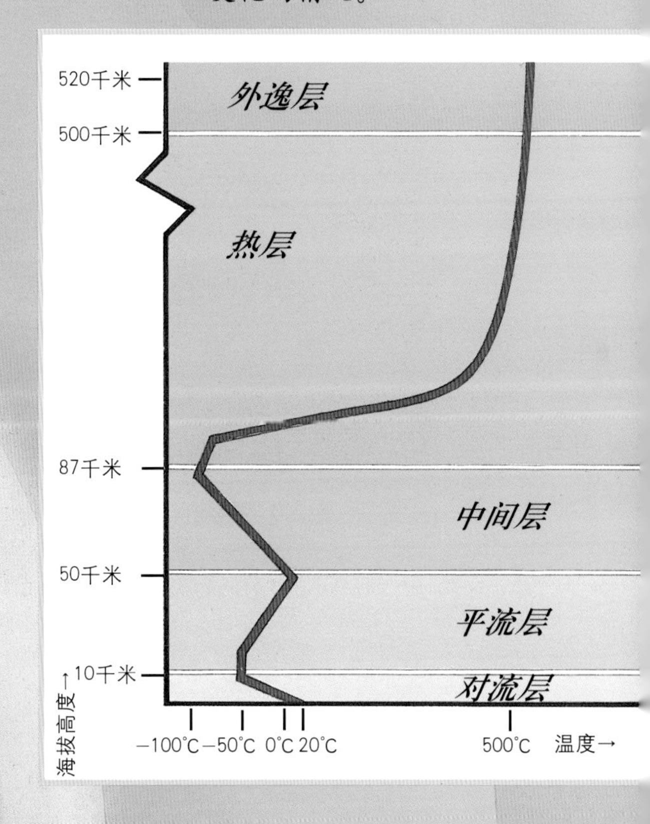

对流层从海平面开始直到10千米的高空。这里是大部分天气状况发生的地方。地表的温度约在20℃左右，而对流层的最上部非常寒冷，温度在-50℃左右。

在飓风周围形成的厚云层中含有大量水滴，当飓风接触到地面时会形成强降雨。

飓风周围的巨型环状云层在早期阶段就可以被卫星探测到。因此世界各地的气象中心可以追踪飓风，并向居住在其行进路径上的人们发出警告。

地球大气层

地球被一层气体包围着，这就是大气层。大气层主要分为对流层、平流层、中间层、热层和外逸层等。对流层最接近地表，这一层的空气循环导致天气每小时都在发生变化。天气是由对流层中冷热空气不同的运动速度、不同的气压和不同的湿度等情况决定的。世界各地的天气状况各不相同。在亚热带地区，天气具有季节性：在漫长的旱季之后是连续数月的潮湿雨季。世界上的其他地方还有很多不可预见的天气。极端的天气状况，如飓风、龙卷风、气旋和干旱等，都具有破坏性，会在它们降临的地方引发灾难。

飓风内部示意图（上图）展示了飓风的内部发生的状况。温暖潮湿的空气上升时，冷空气就会被吸进来填充，从而产生飓风。而龙卷风则是两种空气盘旋在一起产生的一股高速运动的旋转气流，风力最强时速度能够达到每小时 350 千米。飓风比龙卷风强大得多，会给更广大的区域带去更严重的灾害。它们的中心都有一股温暖的空气，人们称其为暴风眼，回旋的气流就是绕着它旋转的。

当风向突然发生变化时，富含水分的云层如果被带到温暖的陆地上空，就会形成强降雨（左图）。在印度和孟加拉国，每年 4 月和 10 月都会有强降雨，雨势猛烈，并持续数周，经常导致洪水泛滥和农作物损失。

冷暖空气团相遇时就形成了龙卷风。一个大的龙卷风直径可达 50 米，风速可达每小时 250 千米。

词汇表

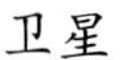

太阳系
八大已知行星和其他天体围绕太阳公转的系统。

行星
宇宙中一颗恒星附近的气体和尘埃形成的球状物体。在太阳系中，包括地球在内一共有八大行星。

卫星
围绕行星公转的物体。有自然形成的卫星，如月亮等；也有环绕地球的人造卫星，如气象和通信卫星等。

大气
一层包围行星或卫星的气体。

核心
一组颗粒的中心，其他物质围绕着它聚在一起。

核裂变
原子核分裂并释放出大量能量，这些能量是所有星球的能量源泉。

密度
物质的紧密程度。例如铅的密度很高，但是像木材或聚苯乙烯等含大量空气缝隙的材料密度就低得多。

太空
宇宙中行星、恒星和星系之间空的部分。太空中空无一物，甚至没有气体。

小行星
围绕太阳旋转的，直径可达1000千米的岩石。大多数小行星在火星和木星之间的小行星带运行。

陨石
从宇宙飞进地球大气层外围的小石块，在下坠的过程中变热变亮，最后一般都燃烧殆尽。

地球的自转轴
这是一条想象中的贯穿地球南北两极的轴线。

地幔
地壳层以下呈熔岩状态的一层。

大陆
地球上的一大片陆地。地球上共有七块大陆：亚洲、非洲、北美洲、南美洲、南极洲、欧洲和大洋洲。

进化
动植物经过漫长时间变化发展的过程。地球上所有的生命都是由35亿年前首次出现的细菌和单细胞生命进化而来的。

物种
所有成员看起来一样并且表现一致的动物群落，能够相互交配并繁殖生育相似的后代。

生态系统
地球上某一特定地域物理环境和生物组成的自然综合体。例如一个沙漠生态系统就包含沙丘以及骆驼、蛇等生活在其中的动物。

珊瑚虫
海洋生物，看上去像植物，其实是动物。所有的珊瑚虫在它们的生命周期中都有一个阶段会附着在海底的岩石或其他硬质表面上。

苔原
北极圈和南极圈边缘的寒冷区域，只有一些小植被能在那里生长。

驯养动物
被人类驯服饲养的动物。常见的驯养动物有牛、羊和猪等。

爬行动物
一种表皮干燥多鳞、冷血的脊椎动物。龟、蜥蜴、蛇、鳄鱼，等都是爬行动物。

哺乳动物
胎生温血动物，用乳汁哺育后代。人类、狮子和大象都是哺乳动物。

气候
地球上某一特定地区特有的天气状况。如北极地区气候寒冷，热带雨林和沙漠地区气候炎热。

天气
对流层中冷、暖、风、雨和气压的现象。对流层是地球大气层中最靠里的一层。

半球
地球的一半。赤道把地球分为南北两个半球，一条通过南北两极的线把地球分为东西两个半球。

有关地球的常识

地球的赤道直径约为12756千米。地球两极的球面有些扁平，两极之间的直径约为12714千米。

如果你坐飞机绕地球赤道一周，你的旅行里程约为40075千米。

地球的总体积超过 1×10^{12} 立方千米。

地球大约形成于45亿年前，生命最早出现在35亿年前，恐龙灭绝于6500万年前，而最早的人类出现在大约200万年前。

地球距离太阳大约1.5亿千米。

地球完全自转一周需要23.9345小时，绕太阳公转一周需要365.256天。

在绕太阳公转的过程中，地球的行进速度是每秒29.79千米。

地球的地表平均温度，按照赤道最热的白天温度和南极最冷的黑夜温度平均计算为15℃。

地球是太阳系中距离太阳第三近的行星，也是唯一一颗已知存在生命的行星。

地球的大部分是地幔，地幔约占地球总体积的84%。

地球（包含大气层），总重量约为 6×10^{21} 吨。

从已知宇宙的边缘到达地球是140亿光年。

太阳距离银河系中心约27700光年。

距离太阳最近的恒星是半人马座的比邻星，距离为4.22光年。

陨石中的证据表明太阳系已经45.4亿岁了。太阳系由气体和尘埃形成，大约经历了2500万年。

地球上最热的地区是埃塞俄比亚的达洛尔，在那里的阴凉处平均气温为34.4℃。

人类是唯一可以在地球上各大洲都可以生存的物种。

海洋的最深处是太平洋马里亚纳海沟，海沟底部距离海平面11034米。

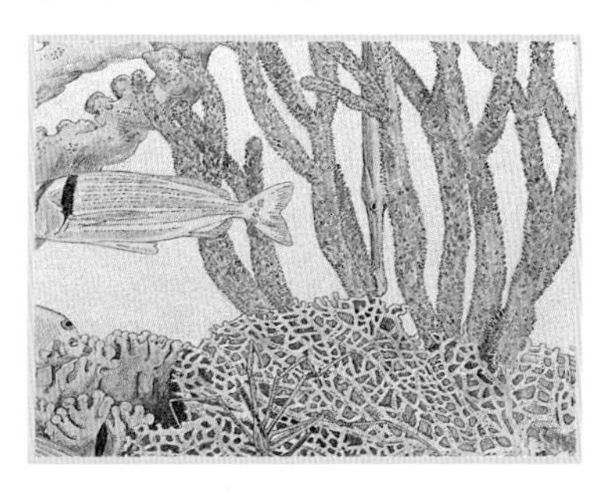

世界上最大的沙漠是北非的撒哈拉沙漠，面积约为840万平方千米。

地球上最干旱的沙漠是南美洲的阿塔卡马沙漠。到1971年，那里已经持续400年没有下过雨了。

世界上最大的活火山是夏威夷的冒纳罗亚火山。自1832年起，它每3.5年就会喷发1次。

海洋的平均深度为3800米。如果将地球的表面完全夷平，地球将会被750米深的水所覆盖。

目前已知的不同动物种类已经超过250万种。

世界最高的山峰是在亚洲喜马拉雅山脉的珠穆朗玛峰，其高度为8844.43米。

世界上最长的河流是埃及的尼罗河，其长度为6671千米。

冰层覆盖了地球陆地面积的1/10，世界上淡水资源的3/4都被冻在冰盖或冰川上。

世界上最大的淡水湖是苏必利尔湖。它位于美国和加拿大的交界处，占地82000平方千米。

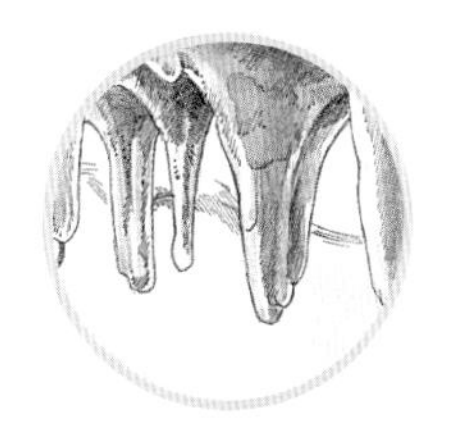

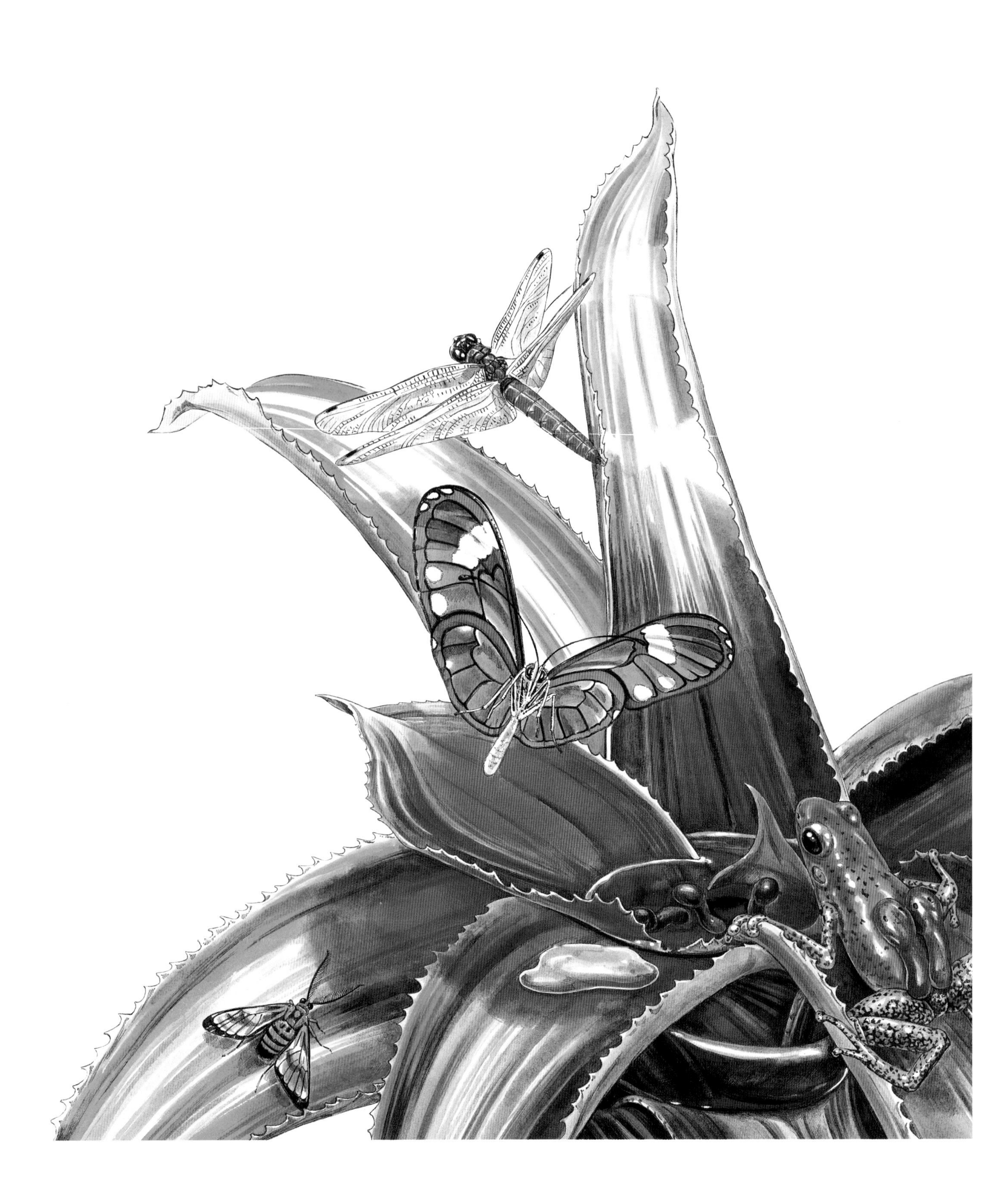

热带雨林

作　者：[英] 凯瑟琳 · 西尼尔

绘　者：[英] 卡罗琳 · 斯克雷斯

译　者：施　伟

什么是雨林？

雨林中的降水量为年2000毫米以上，因此几乎终年湿润。非热带地区也有雨林，但传统意义上的“雨林”是指赤道附近的热带雨林。

雨林分为很多种类型。

低地雨林生长在低海拔地区，也是最广阔的雨林。其间树木平均高达45米，最高可达60多米，一眼望去树木聚集、树冠层叠、遮天蔽日。

有些低地雨林因为靠近河流而处于永久的被淹没状态。红树林就是在陆地伸向海洋的地带形成的雨林之一。其间树木生有可以长在水面之上的气根，因此它们能够在那种条件下存活。

山地雨林生长在海拔较高的地区，那里的气候比较寒冷，因此其间树木并不高大，一般高达15～30米。

雨林中有超过5000种动植物被用于食品、医药和其他制造业。已知有至少3000种的雨林植物中含有可以用于研制抗癌药物的化合物。雨林中还有许多有用的物质，但随着雨林的逐渐消失，它们甚至还未被人类发现就永久消逝了。

在人类出现以前，各种类型的雨林覆盖着地球表面2000万平方千米的土地。现在，每年有超过16万平方千米的雨林遭到破坏。被砍伐的树木通常用于生产木材、纸浆和其他产品。截至2000年年底，幸存的雨林已不足880万平方千米。现存的雨林分布状况如下图所示。

世界上只有不足5%的热带雨林受到了保护，其他95%仍处于任人摆布的境地。只要对雨林的破坏还在继续，每15分钟就会有一个雨林物种灭绝。如果我们继续滥用热带雨林中的资源，雨林将在2200年彻底消失。到21世纪中叶，地球上近25%的物种也将会灭绝。

种类繁多的植物

雨林中生机勃勃、茂盛地生长着各种各样的植物。常青的树木叶片宽大，树冠层层叠叠，最高可达60米。在最浓密的树冠下，其他植物很难生长，而在稀疏的树冠下，则生长着大量蕨类、草本类和苔藓类植物。它们争相抢夺着从上方枝叶缝隙间透射下来的阳光。

在加纳，一处面积为5000平方米(相当于一个大花园的面积)的雨林里就含有350种不同的植物。

在西非雨林的一棵树上就生长着47种不同的兰花。

哥斯达黎加热带雨林保护区中的植物种类与整个英国的植物种类不相上下，而其面积却只有英国国土面积的1/17000。

虽然雨林的面积不足地球上陆地面积的10%，但世界上现存植物种类的50%～90%都生长在雨林中。

攀缘植物的根扎在土地里，它们借助高大的树木向上攀爬。省藤的茎长有钩刺，它们攀附勾抓在临近的树木上生长，显示出旺盛的生命力。省藤可以长到60米甚至更长，在各种树木间缠绕蜿蜒，寻觅、沐浴着阳光。

兰花家族中不乏美的成员，它们艳丽的色彩和四溢的芳香吸引着各种昆虫前来授粉。只有当一朵兰花的花粉被传播到另一朵花的雌蕊上时，才能产生种子繁衍后代。有些兰花甚至能模仿雌性昆虫的形状并散发相似的气味，这样就会吸引许多雄性的昆虫。当昆虫在花间飞来飞去时，会将一些花的花粉传播到别的花朵上。

附生植物——生长在其他植物上的植物——在雨林中很常见。附生植物有很多种类，如苔藓、地衣、蕨类、兰花、仙人掌和凤梨(凤梨科植物)等。

雨林中丰富的植物为多种昆虫、哺乳动物和鸟类的生存提供了条件。凤梨科植物生长在高高的树冠上，它们成簇而肥大的带刺叶片上可以留存雨水，毒箭蛙就在那里产卵、孵化蝌蚪。此后，雌蛙每天会来产下一枚没有受精的卵，供它的蝌蚪宝宝们食用。

蜘蛛猴利用其强壮、灵活的第五肢——尾巴在丛林中的树木、藤蔓间快速穿梭。

动物的天堂

雨林是世界上90%的非人灵长类动物的家园。世界上40%的肉食鸟类和80%的昆虫都栖息在雨林之中。随着雨林的逐渐消失，许多珍稀物种也处于灭绝的边缘。现在，地球上每天都有数个物种消失，而且以灵长类动物为主。一些濒临灭绝的种类个体现在仅存几百只了，如褐绒毛蛛猴就已经极为罕见了。

南美的翡翠树蚺和周围的环境融为一体。它是树冠猎手，常常潜行于树冠之间或盘绕在树枝上面等待着捕猎生活在那里的小型哺乳动物、鸟类和蛙类。翡翠树蚺可以长到3米长。

树豪猪浑身是刺，在西非却被人们当做美味佳肴。人类对这类林莽“美食”的猎杀，大大增加了这些物种的生存压力。

蜂鸟以吸食花蜜为生。有些雨林植物的花蜜中含有丰富的营养，因此一些昆虫可以仅以花蜜为生。大一些的动物，如蜂鸟，则在捕食花朵上的昆虫时顺便食用花蜜作为“营养加餐”。

南美蜂鸟从时钟花中吸吮花蜜时会粘上花粉，飞到别的花朵上时就会将花粉传授给雌蕊，使其受精。

红眼树蛙身上的绚丽色彩可不只是装饰哦，这些颜色警告其他的动物它的皮肤上有剧毒。有些雨林中的土著人在打猎之前会将这类树蛙身上的剧毒涂抹到箭头上。

树蛙的皮肤非常薄，在高高的树上却不会变得干燥，这是因为雨林中的空气非常湿润。

切叶蚁是一种极其聪明的昆虫。它们用剪刀一样的口器将叶子切下带回到地下的蚁巢，但不会马上吃掉，而是经过充分咀嚼后，将树叶和真菌孢子放在一起。待真菌长成之后，切叶蚁便开始享用它们的美食。

丛林居民

巴西和委内瑞拉的雅诺玛米印第安人每天都要在雨林里找寻食物和用以取火的木材。

雅诺玛米人的食物包括各种各样新鲜的水果和植物，当然他们也会吃鱼、猴子和野猪等的肉。

人类以雨林为家已有数千年的历史了。根据婆罗洲丛林深处洞穴中的记录，这段历史最早可以追溯到3900年前。然而类似这样的遗迹可谓少之又少，大多数雨林居民并没有留下他们生活的痕迹，所有他们拥有和使用过的东西，甚至是可以射穿野猪坚韧外皮的硬木箭头，都已经腐朽消失了。

今天，雨林中生活着约5000万土著。比如俾格米人这样的狩猎群落，他们不断地迁徙，搭建临时的住所，并在附近寻找、狩猎动物。玻利维亚北部地区的西丽奥诺人也经常大规模远距离地迁徙流动，但在一年中的部分时间里，他们会定居下来种植庄稼。对沙捞越的伊班人这样的迁徙农耕族来说，庄稼对他们就更为重要了。但是他们一般只在同一块土地上耕作3年，就迁往别处。而像中非的班图人则是定居农耕族，他们固定居住在一个地方，并将居住地周围的树林砍伐后开垦出耕地。他们也是雨林居民中唯一蓄养家畜的部落。

雅诺玛米人是娴熟的猎手，他们擅长使用长矛、长弓和毒箭。

身体上的图画色彩对雅诺玛米人来说很重要。红色是最常见的颜色，黑色表示勇敢或哀悼。雅诺玛米人常常用金刚鹦鹉的羽毛做成头饰和臂带。小孩还用尖木条刺穿自己的下嘴唇、鼻子和耳朵，以便佩戴装饰物。

同一个部落的雅诺玛米人住在用棕榈叶搭建的大型茅屋中，他们称其为“沙坡诺”（上图）。在一天的劳作结束时，村子里所有的雅诺玛米人会聚集在一起讲故事、开玩笑和闲聊。

雅诺玛米人使用的语言不一，不过他们都会学习一种使各个部落成员能够互相理解的“正式”语言。

2万多雅诺玛米人生活在巴西和委内瑞拉边境的雨林高地地区。他们是亚马孙雨林中保留着传统生活方式的最大部族，以迁移农耕、游猎和采集为生。大蕉(一种淀粉质香蕉)是他们的主要农作物。

雅诺玛米人的领地面积约为40000平方千米。直到今天，村落之间，特别是在领地中心区域，冲突仍很常见。定居生活使村落的防御工事非常坚固，其他非定居的部落则经常四处转移躲避敌人。如今，雅诺玛米人的生存环境因修路和采矿而受到威胁，他们开始团结起来要求保护属于自己的土地。

地面

雨林的地面阴暗、潮湿，空气几乎静止不动，一切都浸透在水汽中。在四季常青的雨林中，阳光几乎照射不到地面，只有少数的喜阴植物能在那里生长。地面上随处可见光秃秃的树桩和支撑树木的根系。印度尼西亚、泰国和印度境内分布着大片雨林，其中繁茂地生长着各种乔木、灌木和藤蔓植物。

由于雨林里的土壤层比较薄，树根无法深入地下，因此树干上长出了地上气根，它们像高跷一样支撑着高大的树木。沼泽地带红树林的水上气根也有着同样的作用，它们还能防止树木被水流冲走。

雨林的地面与树冠上方比要安静得多，有时甚至能听到地下青蛙——细趾蟾的叫声。这是一种不在溪流栖息，而在潮湿的小洞穴中生活的青蛙。在雨季到来之前，雄蟾呼唤雌蟾，吸引它们来洞穴中交配。之后，雌蟾将卵产在雄蟾的背上，雄蟾用水、空气和黏液混合成的泡沫状物质将卵包裹起来。在这团蛋白质与糖的混合物中，蟾卵得以保持湿润状态，直至孵化成蝌蚪。

树冠是鲜花和果实生长的地方，吸引了许多昆虫、鸟类和其他动物的到来，因此那里总是热闹非凡。

树冠

在雨林地面30米之上的强烈的阳光每天都长时间地照射着树冠，高大的树上缠绕着附生植物和攀延的藤蔓。远远望去，树冠宛如一顶顶绿色的巨伞。大部分阳光被树冠遮挡住——只有不到2%的阳光能够照射到地面。树冠白天的温度很高，平均达32℃。因此，尽管空气潮湿，树冠最高处的相对湿度也很少超过60%。

树冠是雨林的能量之源，也是光合作用的主要场所。在光合作用的过程中，植物通过吸收太阳的能量将自身的二氧化碳和水转化成葡萄糖。葡萄糖食料滋养了植物，也为食用这些植物的动物提供了营养。

如果一些树冠枯死，阳光会照射到它下层的植物上，那些植物会飞快地长高，很快就填补了空隙。

三趾树懒是世界上行动最慢的动物之一。它们看上去像被冻住了一样，而且消化起食物来也需要花上1个月的时间。尽管三趾树懒是美洲豹和其他猎食动物的美餐，但大多时候它们都不会被发现，因为它们总是一动不动地把自己挂在高高的树冠上。

白天

白天，雨林的树冠充分地沐浴着阳光。阳光透过层层树叶，照在鸟、蝴蝶、青蛙和蜥蜴等色彩斑斓的动物身上。有些树冠上的“居民”用鲜艳的色彩来吸引异性；有些则是为了与周围的奇花异果融为一体；还有一些利用色彩警告潜在的捕食者；更聪明的“居民”模仿有毒的动物，使自身也呈现出色彩，佯装携带着大量的致命毒素。

很多雨林中的灵长类动物正濒临灭绝。褐绒毛蛛猴是南美雨林中数量最多的灵长类动物。400年前，褐绒毛蛛猴的数量是40万只，而现在却只有11群，400来只。巴西政府和环保组织正在尽力保护，使其免遭灭绝的命运。

世界上最奇异的鸟类中，有一部分就生活在南美雨林中。彩虹巨嘴鸟身材普通，却长有一张巨大的喙。令人惊讶的是，鸟喙并不像看上去那样沉重，因为它其实是由一种轻质、坚固的物质包裹在网状的骨突上形成的。但即使如此，这张看上去色彩鲜艳、相当危险的大喙也足以吓跑捕食者了。

夜晚

夜幕降临，另一批“演员”登上了雨林的舞台。夜行性动物，如蝙蝠和树懒，以及夜间飞行的昆虫都睡醒了，纷纷行动。飞蛾和素食蝙蝠以芳香的花朵为食，因为在黑暗中，有香气的花朵更容易被找到。很多植物为了适应这种情况，“铆足了劲”地让自身产生芳香，而不是让花瓣颜色变得更鲜艳，这样它们就能依靠夜行动物们在丛林中为其传播花粉和花种。

尖吻浣熊属于哺乳动物，与浣熊、熊猫同属一科。它们身材苗条，除去尾巴身长约33～46厘米，而身后那条毛茸茸的尾巴也有38～51厘米长。尖吻浣熊生活在中美洲的雨林中，主要以水果为食。

为了更接近食物，丝光食蚁兽(左下图)会用其尖锐弯曲的爪子在蚁丘上挖开一个洞。它们的舌头在蚁洞中进进出出，然后把卷到的蚂蚁生吞下去。尽管食蚁兽从不主动攻击其他动物，但它们有很强的自卫能力。在遇到危险时，它们会用又厚又强壮的爪子将敌人击退。丝毛食蚁兽的利爪长约10厘米，甚至可以对抗山狮和美洲豹的袭击。

红眼树蛙来自南美洲哥斯达黎加雨林。它们的红眼睛是用来吓退捕食者的。如果树蛙在睡眠时被捕食者吵醒，它们会猛地睁开大眼睛，突如其来的血红色会将敌人吓住，使它们以为那双大大的红眼睛带有毒素。敌人犹豫的那一瞬间就可以给敏捷的树蛙足够的逃跑时间了。

未发掘的宝藏

雨林不仅美丽、富饶，还是生命的摇篮、人类的家园和许多珍奇物种生存的场所。如果没有了这个生命的“仓库”，我们不知道未来将会变成什么样。医药领域就已经因为雨林的破坏而蒙受了损失。虽然人们只对雨林中的部分植物进行了试验，但在很多的植物中都已经发现了治疗癌症和艾滋病的有效物质。我们在破坏雨林的同时，又在失去多少发现潜在药物资源的机会呢？

麝雉是南美少有的仅以叶子为食的鸟类。树叶会在这种鸟的胃里停留两天，直至胃里的共生细菌将其完全分解。这大概可以解释为什么这种鸟闻上去有股牛粪的味道。

破坏与毁灭

世界人口的不断增长给雨林造成了巨大的压力。预计到2100年，存在雨林的国家人口将达到80亿。为了养活这些人口，这些国家需要更多的耕地，也就意味着更多的雨林将被砍伐、“清理”或烧毁。其中大量的树木将被当成燃料，流经森林的河流上将筑起堤坝用于发电，四周的森林可能被毁坏而建成条条公路，地下矿场也将建成，日夜开采地下宝贵资源。如果对诸如此类过度开发雨林的行为不加以节制，雨林将永远不会恢复原貌了。

雨林是地球生态系统的一部分，它们影响着天气状况。树木的根系可以固定住富含养分的土壤，防止水土流失。当大片的森林被砍伐后，洪水将会频繁而至，大面积的土壤将被冲刷走。而一旦土壤消失，就再也不能重建雨林独特的植被环境和生态圈了。

未来的希望

被“洗劫”之后的雨林如果在一定时期内不再遭到人为破坏，它们可以自我恢复。新的树木会快速地占领被“清理”过的土地，这繁茂的新雨林很快又会成为昆虫和小型哺乳动物的乐园。但是让雨林自我恢复毕竟不是我们的最佳选择。我们对雨林资源的需求量太大了，因此必须想出一种合理的可持续使用雨林的方式，这就意味着我们在索取所需资源的同时不能破坏要留给下一代的资源。我们必须记住：雨林是不可替代的，它对地球的生态有不可估量的价值。

我们需要雨林提供的许多资源——木材、乳胶、水果、藤制品、医用植物、橡胶、石油、纤维和纤维素等。乳胶是从天然橡胶树中流出的物质，采集乳胶的方法是在树干上切割出一道斜沟让树液渗出来(图1)。人们也可以通过人工种植获取这些原料。如果经营得当，就不会对土壤造成损害。

人们已经在全世界建立了许多处雨林自然保护区(图2)，这样雨林可以得到充分的保护。但人类仍然可以对其进行研究，以进一步发现其价值。

雨林中有一处油井(图1)真是大煞风景，但其实油井并不会对雨林造成多么大的危害。只需在雨林中开辟出一小块区域，然后大部分的开采活动就都在地下进行了。石油是宝贵的资源，可以带来非常可观的收入，而且这利润的一部分可以拿出来用于资助环保事业。

很多野生动植物的保护工作取得了可喜的成绩。1972年，作为老虎保护工程的一部分，印度建立了14个老虎保护区。那时，整个印度仅存老虎不足2000只。今天，已经有24700平方千米的区域被划为老虎生态保护区，老虎的数量也已停止下降并开始增加。

人们现在已经意识到了雨林土著按照祖祖辈辈的传统方式生活的意义。在一些研究工程中，许多野外工作人员与各个部落的巫师(医师 合作，一起识别制作部落传统药品所用的雨林植物。如果这些植物能够被研发成现代药物，所获得的部分利润会返还给部落民，供他们保护自己的土地之用。

坎帕部落的一位巫师(图3)正在准备“阿亚华斯卡”——一种从某些树的枝叶中提取出来的致幻物质。在西方，含有这种物质的配方已经广泛用于治疗疟疾。

词汇表

赤道
一条想象中的环绕地球表面，距离南北西极相同远近的圆周线，赤道地区是地球上离太阳最近的区域。

海拔
超出海平面的高度。山顶海拔高，海岸地区海拔低。

树冠
雨林的最上面一层。

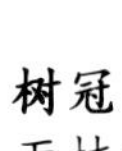

气根
露出地面的根，它有两种作用：防止根长时间浸在水中腐烂，支撑高大的树干。

灭绝
一种植物或动物的个体全部死亡。

授粉
将雄蕊的花粉传到雌蕊的柱头上。

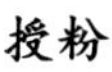

常青
常青的树木和植物从不落叶。它们整年翠绿，并不停地生长。

攀缘植物
茎干柔软，不能独自直立生长，需要攀附其他植物等外物才能向高处生长的植物。

藤蔓
一种生长在热带雨林中的攀缘植物。

灵长类
动物土国中的一类于分支，包括猿、猴子和人类等。

孢子
某些低等动物和植物产生的一种有繁殖作用或休眠作用的细胞，离开母体后能形成新的个体。

迁徙农耕族
在一处耕种两三年后就迁徙别处的人群。

定居农耕族
在一处永久定居、建立农庄的人群。

湿度
衡量空气中水汽含量的计量单位。湿度高会使人感觉黏热，容易出汗。

光合作用
植物为自身制造养料的化学反应。它们将空气中的二氧化碳和土壤中的水分合成为营养丰富的糖类，反应需要的能量来自阳光。另外，作为副产品，植物在光合作用的过程中还释放出氧气。

毒素
生物在将其食入或摄入后会导致受伤甚至死亡的物质。

捕食者
以捕食其他动物为生的动物。美洲豹和翡翠树蚺都是捕食者。

夜行性动物
白天睡觉、晚上活动的动物。

生态系统
在一定时间和空间内，生物与其生存环境以及生物与生物之间相互作用，彼此通过物质循环、能量流动和信息变换，形成的一个不可分割的自然整体。

可持续的使用方式
用一种可持续的方式使用资源，即不将其一次消耗殆尽。种植快速生长的树木以替代被砍伐的树木就是一种可持续使用森林的方法。但砍伐年老的、生长缓慢的野生树木就不是可持续的使用方式。

水土流失
土壤的流失。水土流失现象在遭到砍伐的雨林中是很普遍的。没有了树根和植被，土壤很难凝聚在一起，容易被风吹走或者被雨水冲刷掉。在这种情况下，该区域就会逐渐失去养分丰富的土壤，土地也就“死亡”了。

自然保护区
国家为了保护特殊的自然环境、自然资源、生态系统而划定的区域。

致幻物质
一种物质，可以导致人似真似幻的恍惚状态。

沼泽
水草茂密的泥泞地带。

有关雨林的常识

大多数雨林年降雨量在2500毫米以上。四季常青的阔叶林木“摩肩接踵”地形成了成片的茂密雨林。

雨林的产品，如藤条、竹子、红木和桃花心木等木材、坚果以及香料等畅销全世界。

砍伐森林导致了中美洲2/3雨林的消亡——每年超过0.4平方千米。

已知物种最为丰富的雨林位于秘鲁：在0.01平方千米的土地上就能发现283种树木，每隔两棵树就出现一个不同的品种。虽然这一地区是物种最丰富的地区，但这种快速的生长现象和物种多样性在大多数雨林中都很典型。

在婆罗洲的沙捞越，本南族人在森林中采集的可作药用的植物超过50种。这些植物可用于制造解毒剂、避孕药、凝血剂、滋补品、兴奋剂、消毒剂，也可用于制造治疗头痛、发烧、割伤、淤肿、烫伤、蛇咬、牙痛、腹泻的药物和接骨用的材料。

常被用于制造家具的木材，如红木和桃花心木等只存在于雨林中。

雨林生态系统的大部分养分不是储存在土壤中，而是储存在各种植被中。

中美洲最大的产业是畜牧业——养牛，那里的大部分牛肉都出口北美。但是，开辟牧场用地的最常用的办法就是砍掉或焚毁树木。1987年9月9日，一张亚马孙河盆地的卫星图片显示，那里的雨林中一共有7603处在燃烧。

雨林的破坏速度如此之快，以致许多动植物物种在被研究之前就灭绝了。

全世界的雨林中每分钟都有2000棵树被砍倒。在大多数分布有热带雨林的国家，人们每砍倒10棵树才补种1棵。而在有些国家，人们甚至每砍掉30棵树才补种1棵。

对美洲豹来说，最大的威胁就是它们赖以生存的雨林正在逐渐消失。美洲豹的数量在迅速下降，很多原来栖息过美洲豹的地区都不再有它们的踪迹了。现在唯一还能较常见到它们的地方只有中美洲地处偏远的危地马拉和伯利兹了。

自20世纪初以来，巴西雨林中已经有90个原始部落遭受了灭族之灾。仅在过去的10年中就有26个部落的居民被屠杀或驱散。

在尼泊尔的喜马拉雅山区，每年都有大约25万吨的顶层土壤流失，这是由过度砍伐森林直接导致的。而在印度的喜马拉雅山脚下，土地的流失情况更严重。

在雨林中发现的用于制造西药的物质包括：治疗疟疾的药物（金鸡纳的树皮可以提炼出奎宁）、手术时使用的肌肉松弛剂（一种从藤蔓中提取的箭毒，雨林里的土著将其涂抹在箭矢和飞镖上），还有一种治疗抑郁的药物（一种特别的亚马孙青蛙身上的分泌物）。

由于拥有特殊的土壤，雨林中并不适合种植小麦或蔬菜等作物，只有树木和特殊的植被才能在那里繁盛地生长。

目前没人知道地球上的其他全生态系统对雨林的依赖程度，不过我们在今后的30～50年间就能够知晓了。按现在的趋势，估计到那个时候热带雨林将全部消失。

雨林中生长着一些“本领非凡”的植物。有一种水果的维生素C含量比橙子还要高，还有一种棕榈植物的维生素A含量超过了菠菜，另一种棕榈植物种子的27%都由蛋白质构成。有一种树的树汁不经加工就可以驱动柴油发动机，而另一种树每年可以生长出300千克含油量极高的种子。

著作权合同登记号　图字：01-2006-6205 01-2006-6210

图书在版编目(CIP)数据

地球大观 /（英）西尼尔，（英）安特拉姆著；（英）斯克雷斯绘；施伟译. -北京：北京科学技术出版社，2010.1
（深度探索）
ISBN 978-7-5304-3842-8
Ⅰ. 地…　Ⅱ. ①西…②安…③斯…④施…　Ⅲ. 地球－少年读物　Ⅳ. P183-49
中国版本图书馆 CIP 数据核字（2009）第 187079 号

地球大观

作者：[英]凯瑟琳·西尼尔　绘者：[英]戴维·安特拉姆　[英]卡罗琳·斯克雷斯
译者：施伟　策划：刘杨　责任编辑：邵勇
出版人：张敬德　出版发行：北京科学技术出版社
社址：北京西直门南大街 16 号　邮政编码：100035
电话传真：0086-10-66161951(总编室)
0086-10-66113227(发行部)　0086-10-66161952（发行部传真）
电子信箱：bjkjpress@163.com　网址：www.bkjpress.com
经销：新华书店　印刷：北京捷讯佳彩印刷有限公司
开本：940mm×1194mm　1/16　印张：4
版次：2010 年 1 月第 1 版　印次：2010 年 1 月第 1 次印刷
ISBN 978-7-5304-3842-8/P·006

定价：24.80元

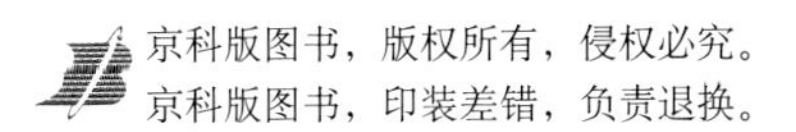

深度探索

内含奇妙切页，直面精彩一幕！

世界奇迹与自然灾害

作者：[英]马克・博金　[英]詹妮・沃恩
绘者：[英]马克・博金　[英]尼克・休伊特森
译者：施伟

北京科学技术出版社

目录

世界奇迹

6 古今奇迹
古代世界七大奇迹和现代的世界奇迹

8 吉萨金字塔
有 5000 多年古老历史的金字塔是法老权势的象征。

11 法老之死
法老隆重的葬礼

12 巴比伦空中花园
早已荡然无存的世界奇迹

14 宙斯神庙
众神之王的神庙

17 宙斯神像
该神像是由很珍贵的材料制作而成的。

19 阿耳忒弥斯神庙
不同时期著名的神庙

20 摩索拉斯陵墓
因精致的雕像而闻名于世

22 罗德岛巨像
太阳神巨大的雕像

25 自由女神像
法国人送给美国人的礼物

26 亚历山大灯塔
毁于难以抵抗的地震

29 高塔
世界最高建筑的纪录不断被刷新

30 词汇表

31 世界奇迹常识

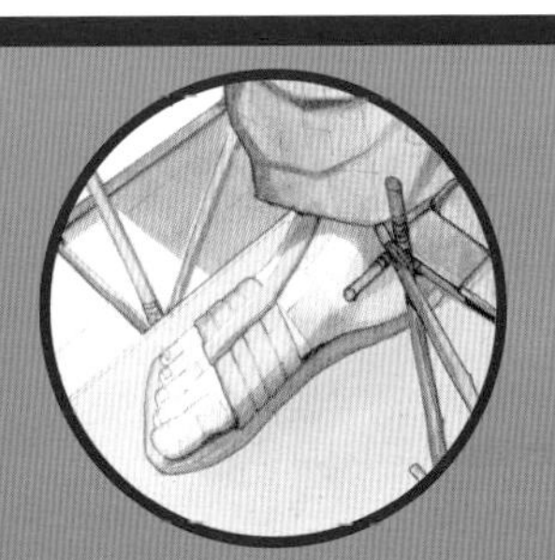

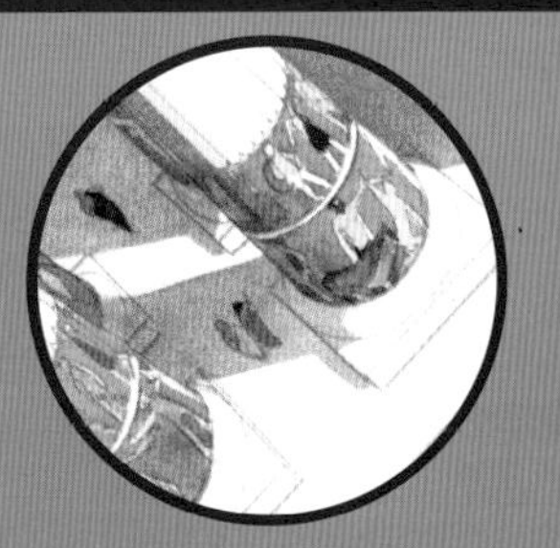

自然灾害

35 我们的地球
地球的构造与自然灾害的关系

36 恐龙大灭绝
恐龙灭绝的原因

38 庞贝末日——维苏威火山的爆发
末日情景的真实再现

41 火山灰下的废墟
毁灭与遗迹

42 地震
地球板块互相碰撞或挤压

45 旧金山大地震
地震的危害

46 台风
热带气旋

49 经历风暴
风暴的威力

50 瘟疫
鼠疫、土豆枯萎症

51 流行病
病毒和细菌

52 洪水
河流的恩赐和危害

55 水灾的危害
大自然敲响警钟

56 天气预报
气象学家的工作

58 词汇表

59 曾经发生的灾难

世界奇迹

作　者：[英] 马克 · 博金

绘　者：[英] 马克 · 博金

译　者：施　伟

古今奇迹

自从文字发明以来，人类就收集了大量有关世界上最宏伟瑰丽的景观和建筑的资料。其中古代最著名的七大建筑被称为世界七大奇迹。

布腊作家，西顿的安提帕特在2000多年前编制了第一本已知奇迹的名册，其中包括他生活的那个时代最著名的建筑物。

数字7被认为具有神秘的含义或某种宗教含义，这也是古代世界的奇迹只限于7个的原因。没人知道安提帕特汇编这本册子的原因，但其中记录的建筑却向我们展示了古代的人在建筑方面的高超技艺。

在漫长的岁月中，古代七大奇迹除了金字塔留存至今，其他的都因战争、地震或人为等原因逐一消失了。人们到现在还在惊叹这些建筑的庞大与瑰丽——这也是不论古代或现代的“奇迹”与其他建筑截然不同之处。在这张地图上，你可以看到在世界各个角落上的现代奇迹。

在本书中，我们将探索古代世界的七大奇迹，并将其与功用、设计类似的现代宏伟建筑相比较。我们将找出这些建筑的建造者，发掘建造的原因和过程。结果你会发现古代和现代奇迹的相似之处让人惊奇。

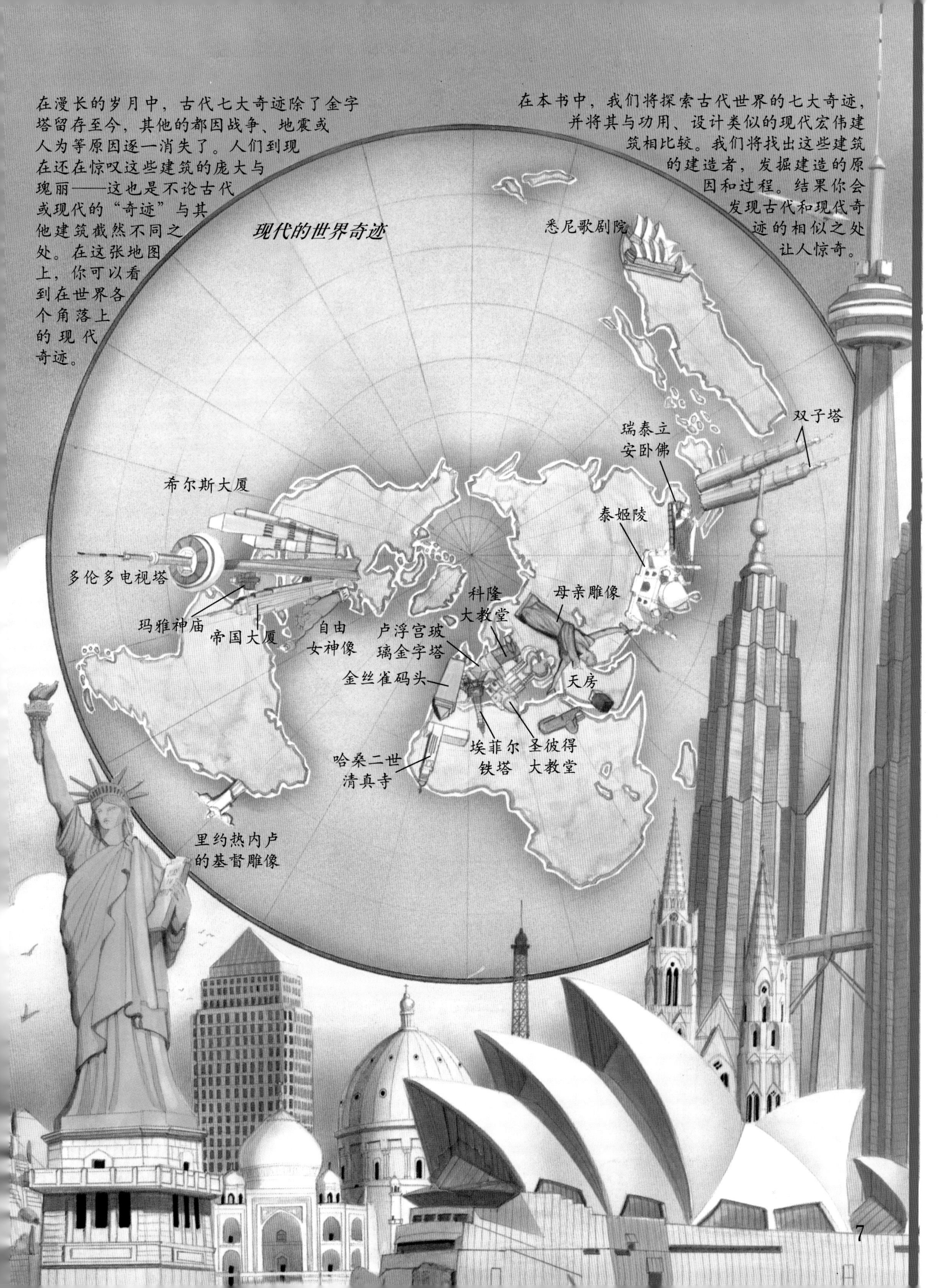

吉萨金字塔

吉萨金字塔已经在埃及的沙漠中矗立了5000多年。它们是作为古埃及法老的陵墓而修建的，也是历史最悠久的古代世界七大奇迹之一。古埃及人认为：如果法老死后其躯体没有被妥善保存的话，他的灵魂也会死去。因此人们建造金字塔以永久地保护法老的躯体。古埃及人建造金字塔为逝去的法老提供固定的栖身之所，为其陪葬品提供固定的存放地，也是为了祈求获得永久的富饶生活。法老死后与太阳神“拉”相会时，法老坐拥金字塔和陪葬品会显得比较体面。金字塔的形状象征着阳光从天堂投射到大地。

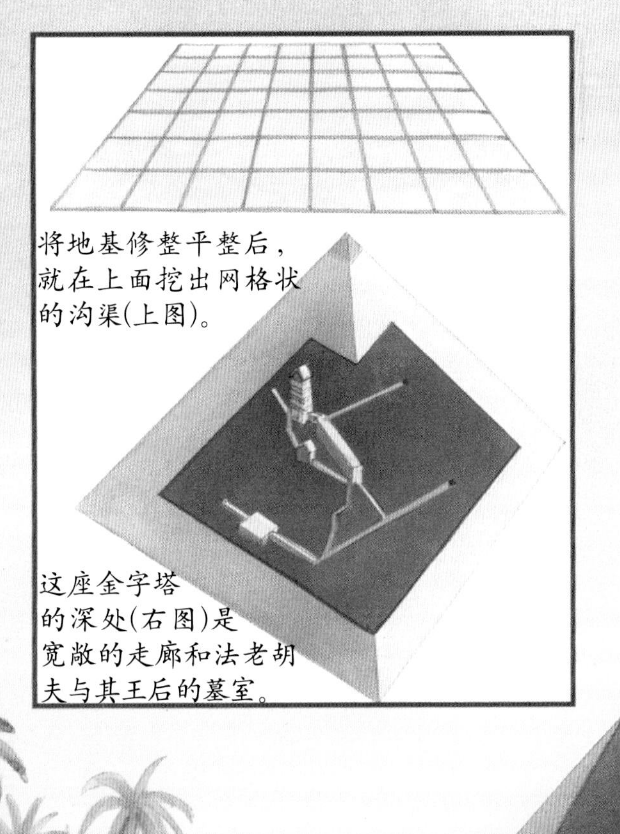

将地基修整平整后，就在上面挖出网格状的沟渠(上图)。

这座金字塔的深处(右图)是宽敞的走廊和法老胡夫与其王后的墓室。

在开始修建金字塔之前，会先在沟渠中注满水(上图)以检验修建地是否平坦。

修建时，还会建造斜坡以便搬运石块。斜坡随着金字塔高度的增高而延长、增高。

法老之死

下图中的这艘王船被发现埋在胡夫金字塔的下面。船身长45米，雪松木质地。船艉柱的形状类似于埃及传统的纸莎草船。

公元600年到900年间，玛雅人在他们古代的宗教中心蒂卡尔(位于中美洲)修建了美洲虎神庙(右图)。这座鹤立鸡群的神庙高达75米。沿着高高的阶梯可以到达这座阶梯金字塔顶部色彩斑斓的神庙。金字塔至今仍令人神往——法国巴黎卢浮宫前的这座玻璃金字塔(下图)于1988年建成。

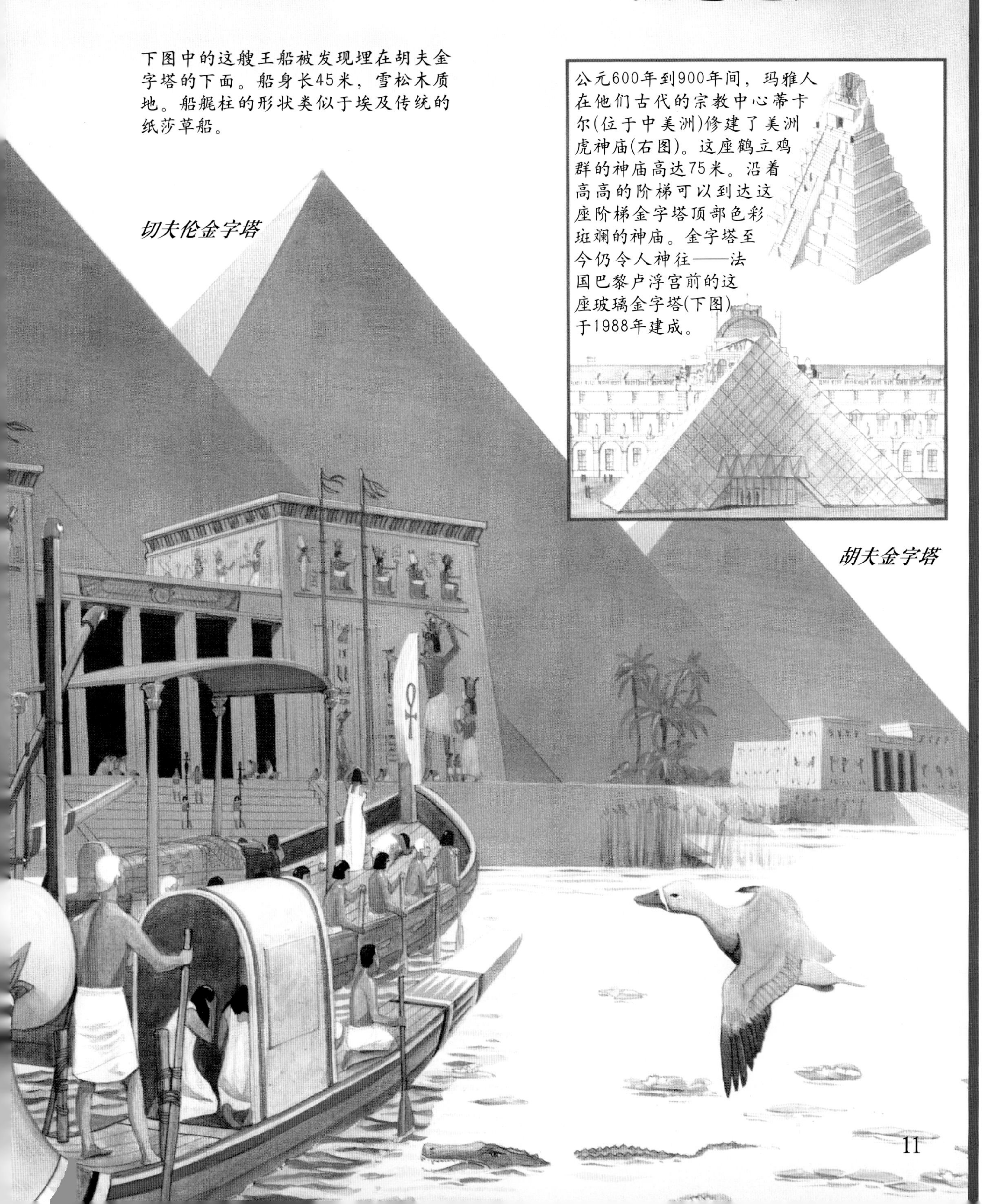

切夫伦金字塔

胡夫金字塔

巴比伦空中花园

巴比伦空中花园传说是公元前9世纪巴比伦国王尼布甲尼撒为他的一位王妃阿米蒂斯修建的。巴比伦（位于现在的伊拉克）广袤贫瘠的平原勾起了王妃对层峦叠嶂的美丽家乡无比的思念。因此国王命令建筑师赛弥拉美斯在城中修建了一座叠园式的花园。为了让花园的树木在炎热漫长的夏季保持绿色，一套隐蔽的灌溉系统将水从附近的幼发拉底河抽取上来。完工之后，花园看上去就像沙漠中充满异国情调的天堂一样。王室成员们在满是植物的阳台上、在芳香四溢的花海中漫步，棕榈和柏树枝叶形成的绿荫遮挡了炎热的暑气。

虽然巴比伦空中花园早已荡然无存，但人们仍然不断地修建各种花园作为放松和欣赏大自然的场所。它们形式多样，如日本的砾石花园、意大利文艺复兴时期的几何形花园，以及18世纪英国的人工“自然”风景花园。

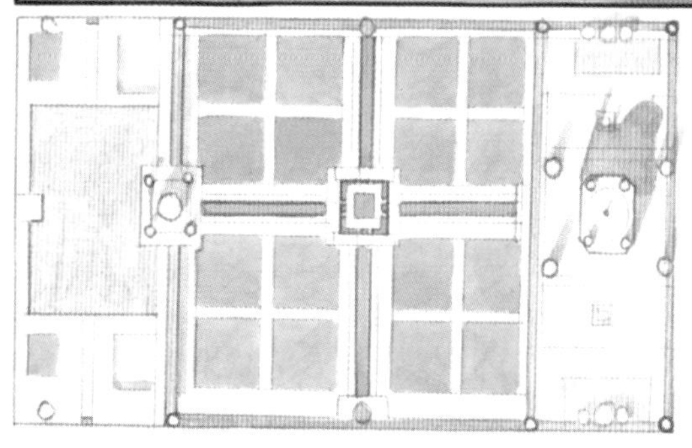

17世纪修建的泰姬陵(上图)呈几何图形布局。中间水道中清澈的水映现出了整个建筑的美。

与上图形成鲜明对比的是日本京都的龙安寺枯水庭园(下图)。庭园用岩石和砾石建成，象征着禅宗的理念。

马可·波罗1279年造访了忽必烈的御花园。据他描述，花园中遍布专门挑选的树木和奇珍异兽，还有一个很大的湖，湖中满是鱼儿嬉戏。

18世纪，英国的园林脱离了文艺复兴时期园林拘谨的几何图案设计。“能人”布朗等园艺师重新改造了旧的园林风格，缔造出了具有自然风情的园林。

17世纪法国国王路易十四修建了凡尔赛宫，其庭园呈几何图形布局。宫殿的周围遍布着大片的草地和花园。错综复杂的花床、规整的花园、装饰性的湖泊、喷泉以及雕像构成了这座欧洲最耀眼的宫殿的背景。

尼布甲尼撒国王的巴比伦城由高大的城墙保护。它是古代世界最富有的城市之一，也是当时的贸易和教育中心。考古学家们认为，巴比伦守护神马杜克的金字塔形神庙也许就是《圣经》中传说的巴别塔。

宙斯神庙

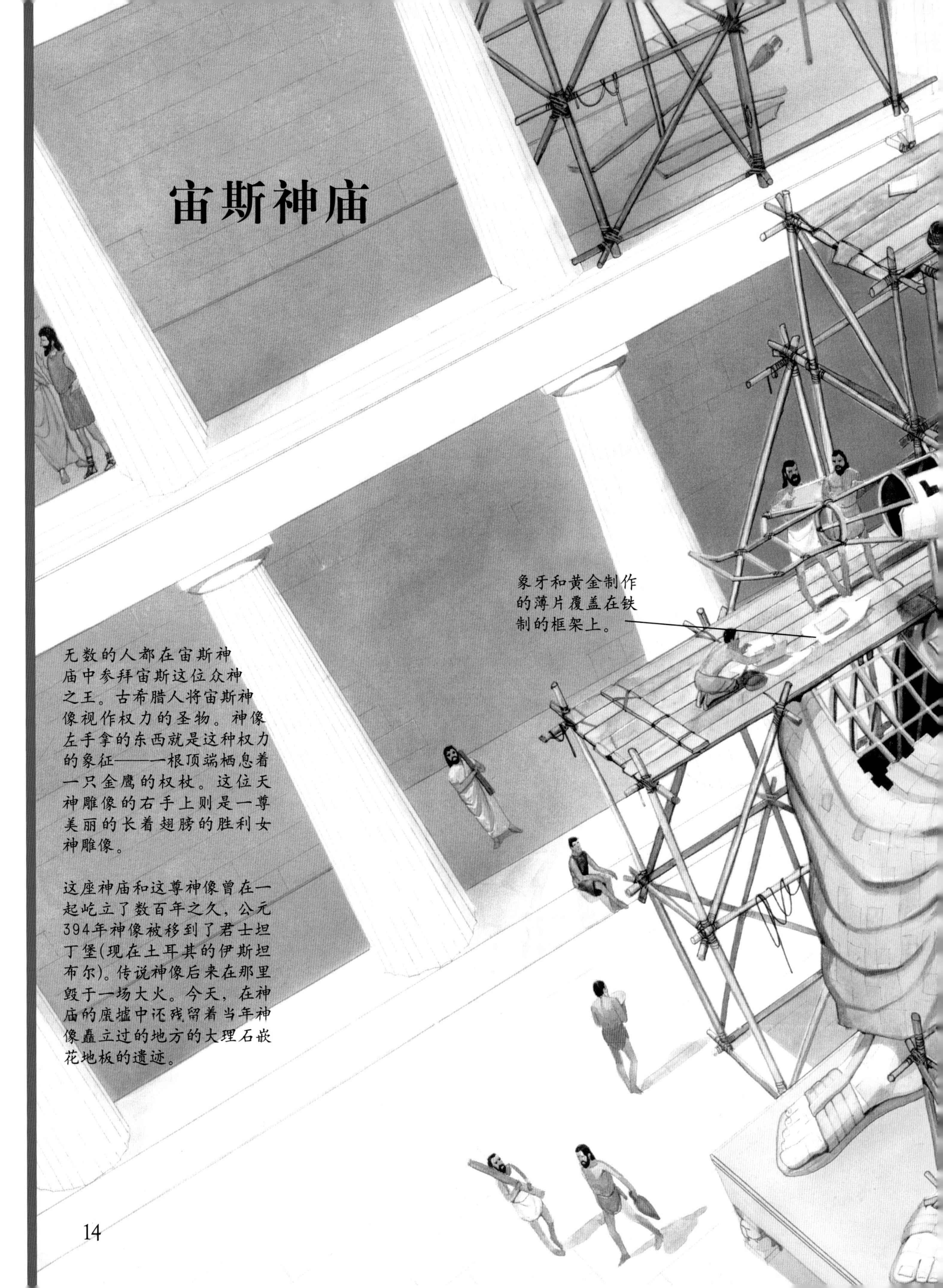

无数的人都在宙斯神庙中参拜宙斯这位众神之王。古希腊人将宙斯神像视作权力的圣物。神像左手拿的东西就是这种权力的象征——一根顶端栖息着一只金鹰的权杖。这位天神雕像的右手上则是一尊美丽的长着翅膀的胜利女神雕像。

这座神庙和这尊神像曾在一起屹立了数百年之久，公元394年神像被移到了君士坦丁堡(现在土耳其的伊斯坦布尔)。传说神像后来在那里毁于一场大火。今天，在神庙的废墟中还残留着当年神像矗立过的地方的大理石嵌花地板的遗迹。

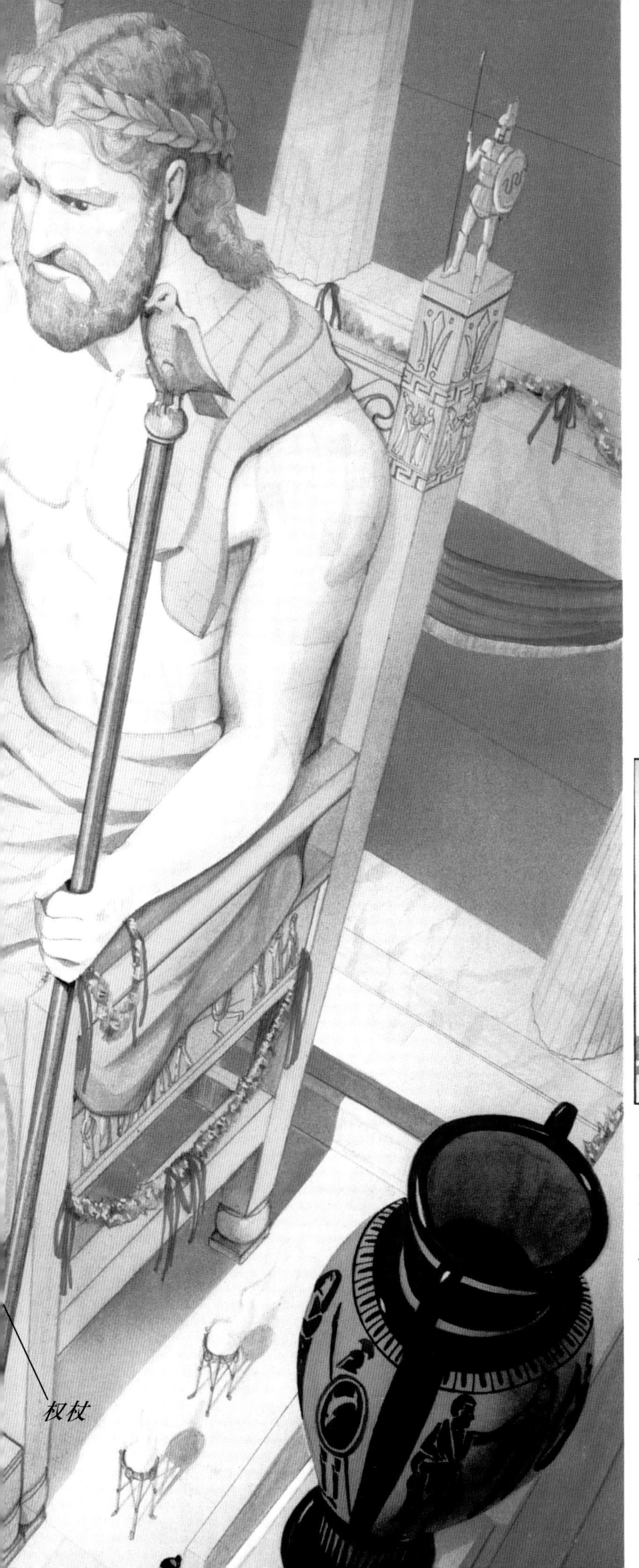

宙斯神像

古希腊人认为众神之王宙斯生活在奥林匹斯山的山顶——那是整个希腊最神圣的地方。山脚下的城市奥林匹亚，因拥有众多的神庙和公元前776年在该地举行的第一届奥林匹克运动会而闻名遐迩。位于城市中心的宙斯神庙于公元前455年竣工。而雕刻家菲迪亚斯花了22年的时间才雕刻完成神庙中巨大的宙斯神像。神像的身体用象牙雕刻而成，头发、胡子和衣物则是用黄金薄片制作而成。神像的眼睛是由珍贵的宝石雕凿成的。

奥林匹亚宙斯神庙的再现图(下图)

每年都有无数穆斯林前往麦加朝圣。按照传统，他们一生至少要到这个伊斯兰教圣地朝拜一次。麦加大清真寺的庭院中央矗立着最神圣的圣殿——天房。天房的一面墙上有一块黑色的圣石，传说伊斯兰教的创始人穆罕默德曾经触摸过它。

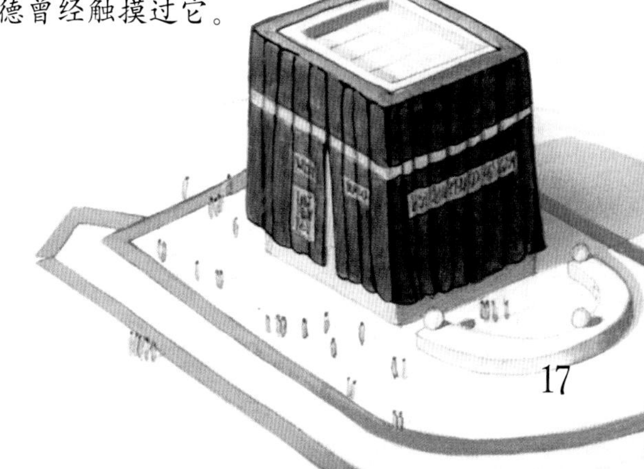

神庙的中间矗立着希腊狩猎和生育女神阿耳忒弥斯的雕像。据推测，这座雕像和奥林匹亚的宙斯神像一样，是用珍贵材料制成的，如黄金、白银和宝石等。

神庙的陶瓦屋顶由木椽和条板支撑着。建筑的两头都有大理石的三角楣饰，上面雕刻着阿耳忒弥斯、宙斯、赫拉和波塞冬接受供奉和祭拜的场景。上面所有的雕像都经过了着色处理，看上去栩栩如生。

阿耳忒弥斯神庙

以弗所（位于现在的土耳其）的阿耳忒弥斯神庙是在以前的神庙旧址上修建的。原来的神庙在公元前356年被一个名叫赫罗斯特拉图斯的疯子烧毁了。多年以后，亚历山大大帝征服了这座城市并决定重修神庙。这座神庙修建耗时120年，是当时最大的神庙之一——宽52米，长112米。但神庙不仅因其规模而闻名，还因为里面的127根柱子。每根柱子的柱基部分都有精美的雕饰，描绘了众神、英雄和神话中的野兽等众多形象。

1881年，人们在缅甸的一片丛林当中发现了瑞泰立安卧佛，这片丛林是古城蒲甘的遗址。该卧佛修建于公元前10世纪，1946年得以修复。卧像长55米，高16米。

在摩洛哥，哈桑二世清真寺雄踞在卡萨布兰卡市。它的规模相当大，可以容纳10万名朝拜者。在夜晚，其粉红色的大理石外表泛着光芒，因此即使是在天黑之后，它仍然是这个城市的主宰。

圣彼得大教堂于1506年至1626年在意大利罗马耶稣门徒彼得的墓地遗迹上重建。教堂穹顶的直径为42米，柱廊围绕着长方形会堂前的广场。教堂从地面到顶部的十字架更是高达138米。这所巨大的教堂在1989年非洲象牙海岸的和平圣母大教堂落成之前，一直是世界上最大的教堂。

1974年，几个农民在西安附近打井时意外地挖出了一个洞穴，里面全都是真人大小的兵马俑。而这些只是所有护卫秦始皇(公元前259年到公元前210年)陵的兵马俑大军中的一部分。后来又相继发现了陶制的马匹、弓箭手和90辆战车。从着色的痕迹来看，当初这些兵马俑看上去像真人一样。秦始皇陵遗址的范围很大，直到现在秦始皇陵也还没有挖掘完。

印度阿格拉附近的泰姬陵是由莫卧儿王朝的君主沙·贾汗建于17世纪30年代。当时沙·贾汗因其皇后穆姆塔兹去世而悲痛欲绝，于是修建了这座白色大理石的陵墓，并以其爱妻的封号泰姬·玛哈尔（皇宫上的王冠之意）命名。

摩索拉斯陵墓

公元前354年，在哈利卡纳苏斯城，一位统治者的陵墓就要完工了。这座高达45米的陵墓是为了纪念加里亚国王摩索拉斯，在其妻子阿尔忒米西亚的监督下建成的。尽管后来陵墓被毁坏了，但陵墓的大部分仍然保存至公元15世纪，最后毁于地震。这座陵墓之所以出名，是因为陵墓上栩栩如生的精致雕像。

推算工期，陵墓早在公元前353年即国王摩索拉斯死前就开始修建了。为了完成此工程，阿尔忒米西亚雇佣了希腊最杰出的两位工匠：建筑师皮西厄斯和雕刻家斯克帕斯。皮西厄斯在陵墓顶上监督施工。斯克帕斯则监管各个神像和王室成员的雕塑制作。他还在围绕陵墓的中楣雕刻了亚马逊女战士与希腊勇士的战斗故事。根据当时的记载，陵墓修建耗时10多年，参与建造的工人无数。建筑的顶部是一座3米高的大理石雕像，雕刻的是摩索拉斯和阿尔忒米西亚乘坐着一辆四匹马拉的战车。

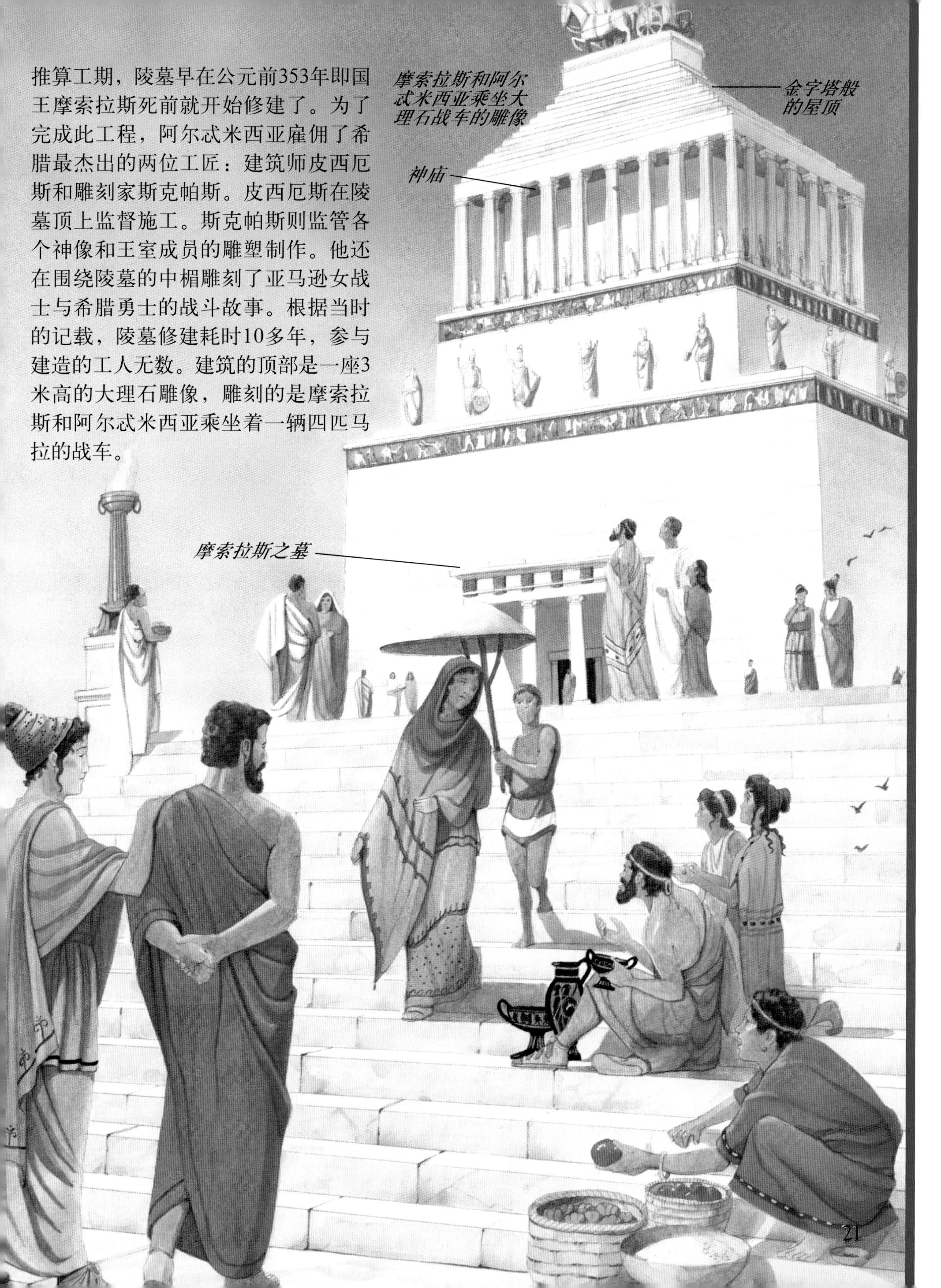

巨像是薄薄的铜板覆盖在铁制的骨架上建成的。工程耗时超过10多年，最终于公元前290年完工。雕像内部放置了大量的石块加固。然而，它却是最短命的“奇迹”。公元前224年，一场地震使它跌倒入大海中。

罗德岛巨像

罗德岛的人大约在公元前300年建造了一尊太阳神赫利俄斯的雕像。这是为了感谢神灵庇佑他们在公元前304年击退了入侵他们海岛的敌人。雕像建在罗德岛的主要港口林多斯，具体位置很可能是在入海口。它可谓是一尊巨像——大约有37米高——在海上很远的地方都能看到它。雕像是由希腊雕刻家利西波斯的学生沙瑞斯塑造的。

修建巨大的雕像是古代的一种传统。埃及的斯芬克斯狮身人面像高18米，长73米，大约是在5000年前为了保护金字塔而修建的。自由女神像高46米，自1886年起就矗立在纽约港的一座岛上。1931年，巴西里约热内卢修建了一尊40米高的基督像，雕像俯瞰全城。而最高的雕像是在俄罗斯伏尔加格勒城外，建于1967年的母亲雕像，雕像全高82米。

现代的巨型雕像自由女神像坐落在曼哈顿岛南角外边的贝德罗岛上。几百年来，它迎来了无数回家的美国人和寻求新生活的移民。建造雕像的创意最早是在1865年一个宴会上萌发而出的，目的是为了庆祝美国独立一百周年。21年后，雕像作为法国人民送给美国人民的礼物矗立在了纽约。

雕像的左手拿着一块刻字板。上面刻有“July IV MDCCLXXVI”(1776年7月4日)，这是美国摆脱英国殖民统治、宣布独立的日子。

女神头冠上的七条长刺象征世界上的海洋和大陆。

雕像是空心的：这尊铜雕塑由4根巨大的铁柱和内部的支架支撑着的。雕像是由建造了巴黎埃菲尔铁塔的古斯塔夫·埃菲尔设计的。自由女神像从火炬到脚趾高46米，不过加上石头底座则高93米。雕像重204吨——外边覆盖的铜片占了一半的重量。

雕刻家巴特尔迪寻找雕像安放地时感觉贝德罗岛是最好的选择。八角星形状的底基下面是打入弗特伍德堡中心深处的混凝土巨柱。雕像矗立起来之后，贝德罗岛被改名为自由岛。

自由女神像高46米。

底座高47米。

亚历山大灯塔

埃及亚历山大城的灯塔，矗立在靠近城市港口的法洛斯岛上。亚历山大大帝手下的一位将军托勒密一世在公元前3世纪下令建造了这座灯塔。设计师和建筑师都是索斯特拉图斯。灯塔高122米，用白色大理石建造而成。在塔顶，灯塔的灯昼夜不熄，火光非常明亮，在49千米外的海面上都能看到。

亚历山大灯塔修建耗时20年，大约在公元前280年完工。它象征希腊人的力量和荣耀。亚历山大城是当时世界的贸易和教育中心。灯塔遭到地震的屡次破坏——最严重的一次是在公元796年——它最终在13世纪的一次地震中被摧毁。

根据罗马人的记载和当时钱币的图案分析，我们能够想象出亚历山大灯塔的模样。

小型的希腊船只驶出亚历山大港。

高塔

今天，高层建筑高耸入世界主要城市的天际。它们展示了建造者的财富和建造世界最高建筑的愿望。在1930年美国纽约的克莱斯勒大厦建成之前，高300米、于1889年建成的巴黎埃菲尔铁塔是世界上最高的建筑。同样是在1930年，在同一座城市修建的帝国大厦以大约449米的高度很快刷新了纪录。1974年，美国芝加哥的希尔斯大厦将纪录提高到443米。1998年马来西亚建成的双子塔曾保持着452米的最高纪录。但这一纪录随后又被其他高楼刷新。多伦多电视塔高553米，但它不过是一座通信塔而已。

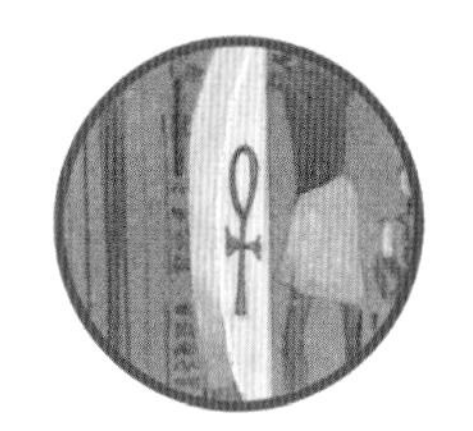

词汇表

考古学家
挖掘古代遗迹并对其进行研究的科学家。

法老
即古埃及国王，是古埃及的最高统治者，其含义是“宏伟的房屋”。

金字塔
古埃及法老的陵墓。

尼罗河
世界第一长河，流经埃及等9个国家。

纸莎草船
用埃及盛产的纸莎草制作的船。

卢浮宫
位于法国巴黎市中心，是世界上最古老、最著名的博物馆之一。

玛雅人
中美洲地区和墨西哥印第安人的一支。

文艺复兴
14世纪末在意大利兴起，随后扩展到西欧各国，于16世纪在整个欧洲盛行的一场思想文化运动。

马可·波罗
世界著名的旅行家，曾到过中国，他撰写的《马可·波罗游记》曾激起了西方人对东方的神往。

忽必烈
即元世祖，蒙古族人，他是中国元朝的第一位皇帝。

凡尔赛宫
位于法国巴黎宏伟壮丽的宫殿，国王路易十四下令修建的。

大理石
坚硬光滑，用于建造圆柱和雕塑的晶体类石头。

伊斯兰教
伊斯兰教是世界性的宗教之一，与佛教、基督教并称为世界三大宗教。

穆斯林
信奉伊斯兰教的人。

赫拉
希腊神话中的十二主神之一，宙斯的妻子，也是他的姐姐，主管婚姻、家庭，被尊为“神后”。

波塞冬
希腊神话中的十二主神之一，宙斯之兄，地位仅次于宙斯。

阿耳忒弥斯
希腊神话中的狩猎女神，掌管狩猎、生育。

莫卧儿王朝
指十六和十七世纪印度的莫卧儿王朝。

斯芬克斯狮身人面像
人头狮身的雕像，是埃及著名的遗迹。

移民
迁徙到外地或外国去落户的人。

供品
供奉诸神用的瓜果酒食。

地基
建筑物的根基，一般建在地下承受建筑物的重量。

世界奇迹常识

埃及吉萨的金字塔建于公元前2660年到公元前2560年，其中最大的金字塔高达147米，至今仍然屹立在那里。

据估计巴比伦空中花园有90米高。花园的具体地点至今仍然是个谜。

据说奥林匹亚的宙斯神像有12米高。

阿耳忒弥斯神庙是当时世界上最大的神庙之一，因其雕饰和雕像而闻名。神庙长112米，宽52米。

哈利卡纳苏斯的摩索拉斯陵墓高45米。

罗德岛的太阳神巨像大约于公元前300年建成，高度将近37米。

亚历山大灯塔于公元前280年建成。其基座至今仍然存在。

德国的科隆大教堂于1248年开始修建，工程耗时200年才完成。19世纪60年代增建的双塔使它成为当时世界最高的建筑，双塔高157米。

意大利罗马的圣彼得大教堂建于1506年到1626年。其巨大的拱顶高度超过了137米。直到1989年它一直是世界上最大的教堂。之后这一纪录被象牙海岸一座更大的教堂打破。

法国巴黎的埃菲尔铁塔于1889年竣工，塔高300米。直到1930年，它都是世界上最高的建筑。

自由女神像从火炬到底部的石头基座高93米。

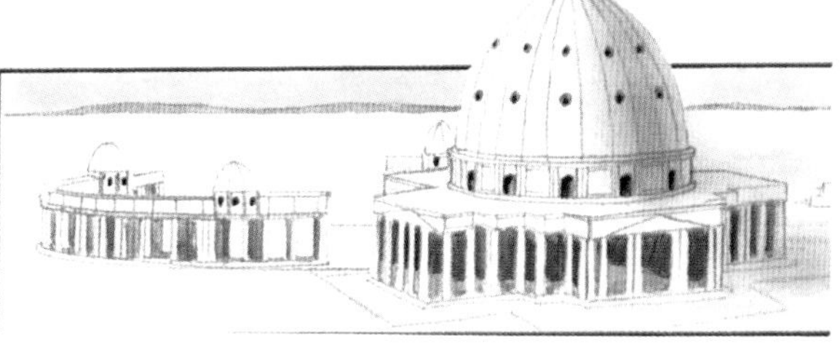

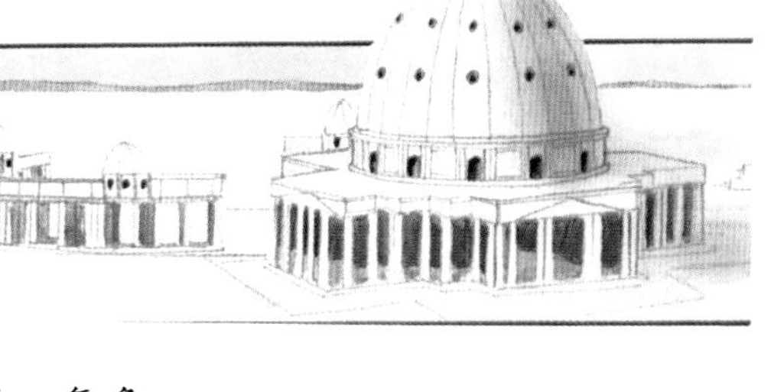

美国纽约曼哈顿的帝国大厦享有了1930年世界最高建筑的头衔。这座449米高的建筑仅花了一年多的时间就建成了。

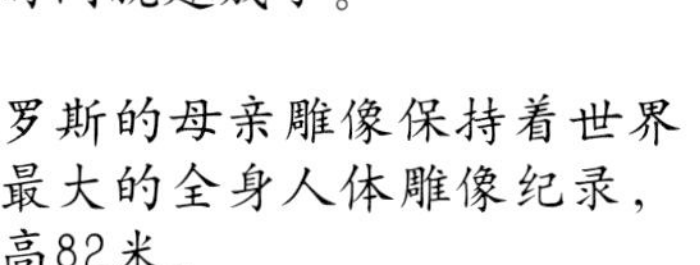

俄罗斯的母亲雕像保持着世界上最大的全身人体雕像纪录，全高82米。

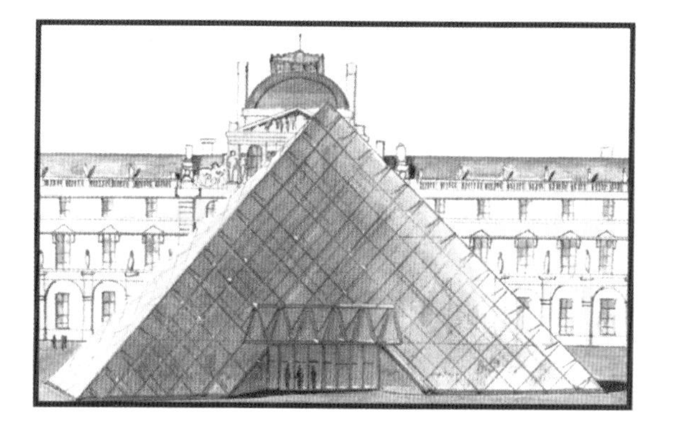

一座20世纪的金字塔坐落在15世纪建成的巴黎卢浮宫前。

澳大利亚的悉尼歌剧院拥有美丽的风帆式的拱顶。它由约翰·乌特松设计，工程耗时14年，于1973年对外开放。

非洲象牙海岸的和平圣母大教堂是世界上最大的教堂。该教堂高158米，长193米。

英国伦敦的金丝雀码头大厦是一座50层的摩天大楼，楼顶上还建有一座玻璃金字塔。大厦高达245米，是英国最高的建筑。

加拿大多伦多电视塔于1975年完工。它是世界上最高的自由立塔。

地面上最高的电视塔高553米。

马来西亚吉隆坡的双子塔高452米，曾是世界上最高的大厦。

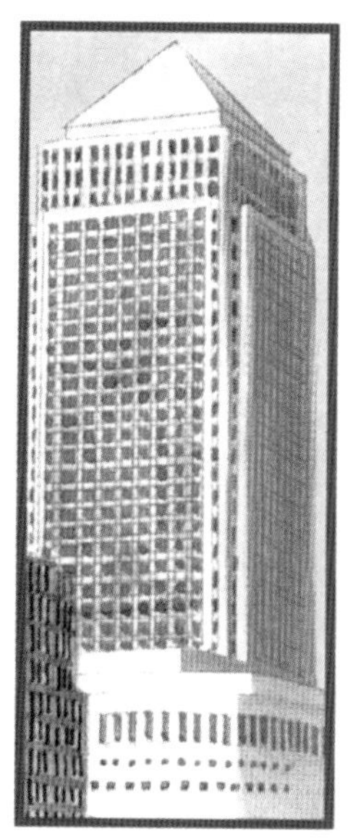

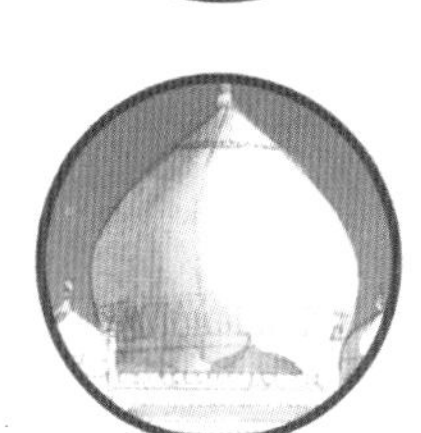

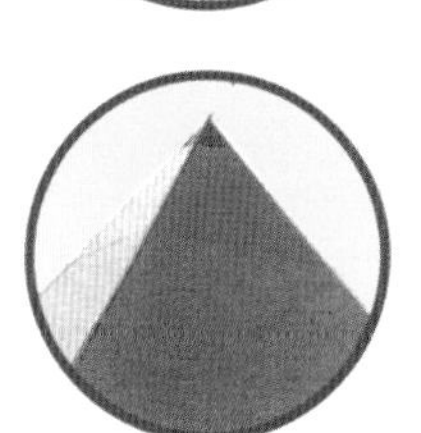

自然灾害

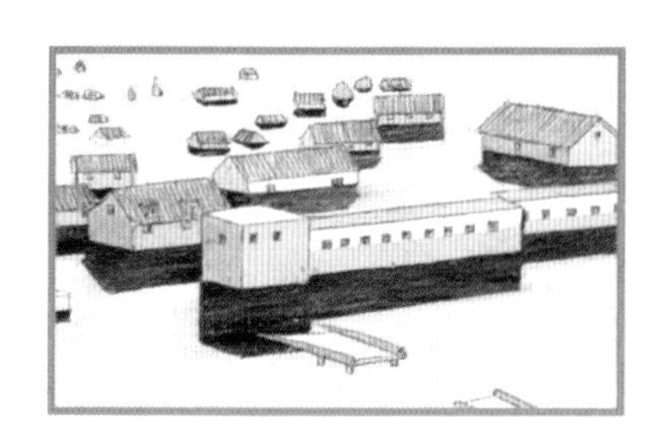

作　者：[英] 詹妮·沃恩

绘　者：[英] 尼克·休伊特森

译　者：施　伟

外逸层

磁层

热层
厚度约为500千米。

中间层
约35千米厚。

平流层
约35千米厚。

地面上方80千米以上的大气层也被称为电离层，因为那里的空气中充满了带电的离子。

对流层
厚度大约为6～18千米，含有大气层中几乎所有的空气成分，甚至水蒸气。对流层也是各种天气状况发生的区域。

液态水
覆盖了地球表面的2/3，主要存在于几个大洋中。就像空气流动形成风一样，大洋中水的流动形成了洋流。

地壳
地壳是由岩石构成的地球外壳，其平均厚度为30千米。高山地区的地壳厚度可达70千米，而在大洋底部的地壳厚度仅7千米左右。

岩石圈和软流圈
地壳之下是地幔。岩石圈包括地壳和上地幔顶部，大约有100千米厚。其下方是软流圈。

地幔
地幔大约占地球体积的84%，厚约2800千米。软流圈由炽热松软的岩石构成，上方是不断运动的岩石圈板块。

外核
地幔之下是地球的外核，大约有2250千米厚。虽然没有人到过那里，但科学家们认为其主要成分是铁和镍。外核的温度约为5500℃。在那里，金属都熔化(呈液态)了。

内核
内核是由金属构成的，约有1220千米厚。科学家们认为那里的温度高约6000℃。金属在这样的温度下通常是液态的，然而由地球其他各层带来的巨大压力使得内核呈固态。

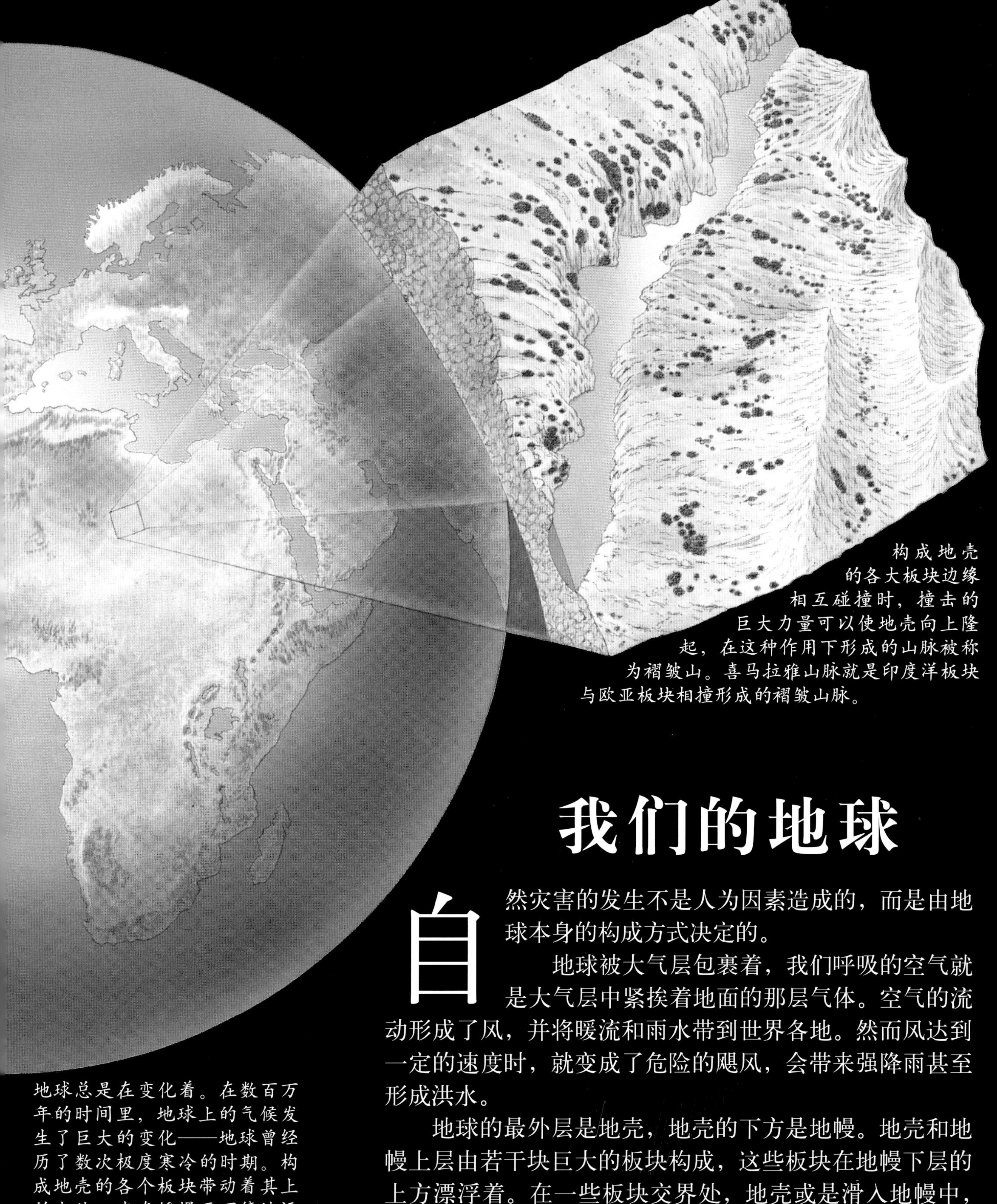

构成地壳的各大板块边缘相互碰撞时，撞击的巨大力量可以使地壳向上隆起，在这种作用下形成的山脉被称为褶皱山。喜马拉雅山脉就是印度洋板块与欧亚板块相撞形成的褶皱山脉。

地球总是在变化着。在数百万年的时间里，地球上的气候发生了巨大的变化——地球曾经历了数次极度寒冷的时期。构成地壳的各个板块带动着其上的大陆一直在缓慢而不停地运动着。数百万年前的地球和现在的迥然不同，数百万年之后，很可能和现在又完全不一样了。

我们的地球

自然灾害的发生不是人为因素造成的，而是由地球本身的构成方式决定的。

地球被大气层包裹着，我们呼吸的空气就是大气层中紧挨着地面的那层气体。空气的流动形成了风，并将暖流和雨水带到世界各地。然而风达到一定的速度时，就变成了危险的飓风，会带来强降雨甚至形成洪水。

地球的最外层是地壳，地壳的下方是地幔。地壳和地幔上层由若干块巨大的板块构成，这些板块在地幔下层的上方漂浮着。在一些板块交界处，地壳或是滑入地幔中，或是被挤压隆起，还有一些板块会交错滑动。当地壳的运动过于剧烈时，地震就会发生。在较薄的地壳地段常有火山爆发，熔化的岩石会以岩浆的形式从地表之下喷发而出。

恐龙大灭绝

恐龙属于爬行动物，类似于现在的蜥蜴和龟。这意味着它们很可能是冷血动物，需要太阳的热量来温暖身体。恐龙在地球上生活了近 2 亿年，从小巧、敏捷的小型恐龙，到庞大、笨拙的草食恐龙，再到残暴、凶狠的肉食恐龙，其种类繁多。然而在 6500 万年前，它们却突然消失了——这是为什么呢？

有一种理论认为，是太空中一颗小行星撞击地球导致了恐龙的灭绝，撞击引发的地震和火山爆发扬起了大量尘埃，遮天蔽日达数月之久，地面温度随之急剧下降，冷血的恐龙在那样漫长而寒冷的冬季里无法存活，于是最终灭绝了，而那些温血的鸟类和哺乳动物则得以幸存下来。

墨西哥海岸附近的一处陨石坑（下图）是 6500 万年前一颗来自太空的小行星或陨星撞击地球而形成的。撞击的威力相当于 1 万颗原子弹爆炸的威力，方圆 500 千米内的一切事物都被毁之殆尽。

小行星燃烧产生的厚厚的有毒烟雾和尘埃云很可能导致了地球气候的变化，不过也有一些科学家认为，地球气候在当时实际上已经在逐渐变冷了，小行星和火山喷发只不过加速了这一过程而已。

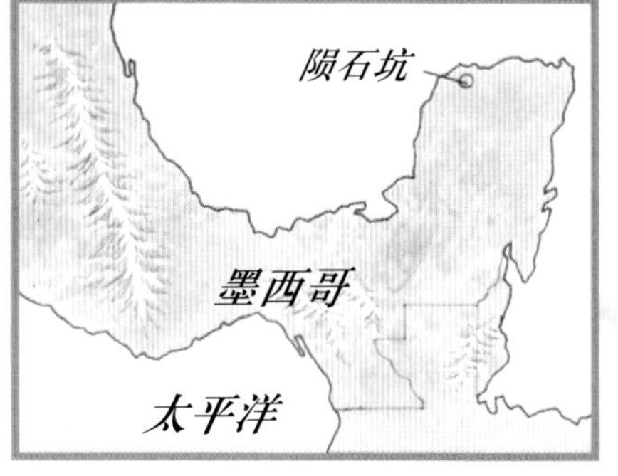

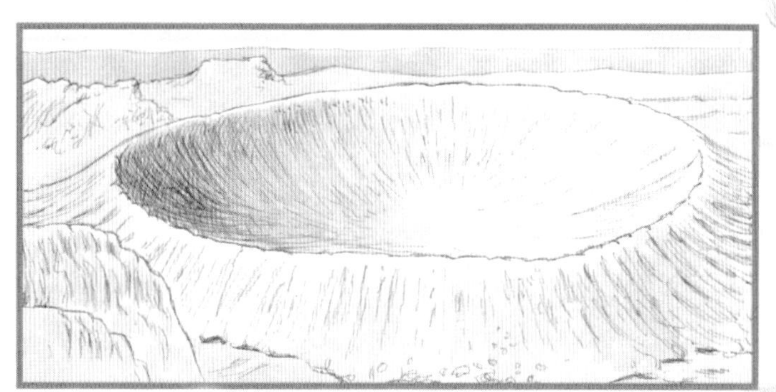

美国亚利桑那州的陨石坑（上图）是大约 5 万年前一颗陨星撞击地球后形成的，坑的直径达 1200 米。

我们对恐龙的了解都来自于在古代岩层中发现的化石和遗迹。科学家们可以判断出化石所在岩层的确切年代，并由此推断出形成化石的生物死亡的年代。在6500万年前之后的岩层中没有发现过一处恐龙化石，由此我们知道恐龙一定是在那个年代灭绝的。

许多科学家认为恐龙的灭绝源于地球温度的下降，因为它们只能在温暖的环境中生存。另外，随着气温降低，可供它们食用的食物也越来越少。温血的哺乳动物、鸟类和小型的爬行动物幸存了下来，而恐龙、翼龙和蛇颈龙最终灭绝了。

庞贝末日——维苏威火山的爆发

公元79年8月24日中午时分，古罗马的庞贝城在有史以来最有名的一次火山喷发中被摧毁了。庞贝城是意大利海滨一座繁忙的港口城市，其附近还有斯塔比亚和赫库兰尼姆两座城镇，它们都位于维苏威火山附近。当时的人们都认为维苏威火山已经是座死火山了，没有人想到有一天它还会爆发。

虽然灾难发生在1900多年前，但人们对当时的情况却知之甚多。这都要归功于一位17岁的少年小普里尼，他目睹了那场灾难的全过程，并记录下来：一大团充斥着火焰的可怕黑云笼罩着整个天空，整座城市像被关在一个密不透风的房间里，燃烧着的碎石像冰雹一样从空中猛砸下来。一些人试图逃跑，另一些人则躲进屋子里。紧接着一大团燃烧着的气体和尘埃从山上席卷而下。在小普里尼的记述中，那团气体和尘埃来势迅如洪水，所到之处，人们不是被烧死就是因窒息而亡。在赫库兰尼姆，逃到海边的数千人也没能幸免于难。

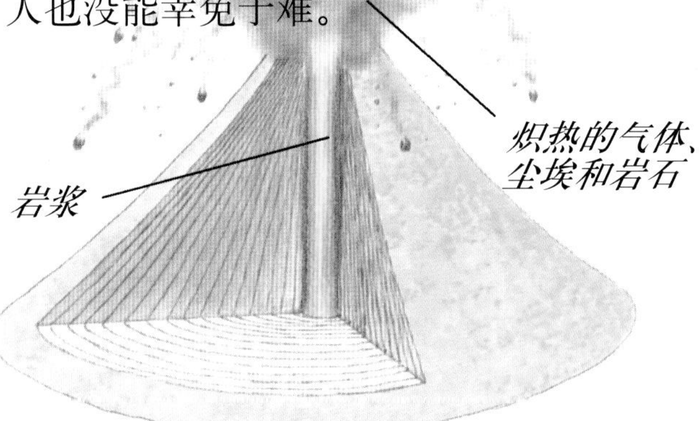

火山的活动

火山多形成于地壳板块的边缘处。来自于板块下方地幔的压力将熔化了的岩石推向地球表面，隆起的地壳处就形成了火山。当熔岩冲出地球表面时，火山就爆发了。熔岩、炽热的气体和尘埃同时从火山口喷发而出，有时还伴随着剧烈的爆炸。炽热的熔岩顺着山坡流下来，冷却之后就变成了岩石。

火山灰下的废墟

庞贝、斯塔比亚和赫库兰尼姆三座城市完全被火山灰和岩石掩埋了，维苏威火山的爆发彻底毁灭了它们。庞贝城里大约有1.6万人死于那场灾难，它埋在火山灰下，逐渐被人们遗忘了。直到18世纪中叶，赫库兰尼姆和庞贝城才被挖掘出来。

现在，世界各地的游客们可以到庞贝古城遗址游览观光，在古代的街道上穿梭徜徉，甚至可以看到保存完好的壁画和墙上的涂鸦。参观中，游客们可以想象出庞贝城毁灭当日的情景。

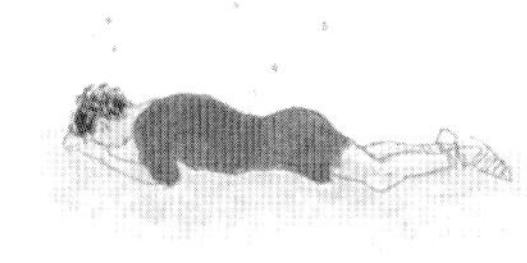

19世纪60年代，考古学家朱塞佩·菲奥雷利设计出一种制作被埋在庞贝城火山灰中人体模型的方法。

被火山灰埋葬的人们的尸体早已腐烂，只在早已变硬的火山灰中留下了一个空洞。菲奥雷利将石膏灌入这些空洞中(左图)。

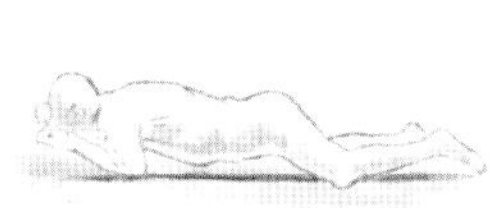

石膏凝固以后，菲奥雷利就剥掉外层的火山灰。公元79年8月24日那天死去的人物模型便呈现在眼前，生动地展现了遇难者们的最后一刻。

地震

美国城市旧金山地处圣安德列斯断层之上。断层经常出现在板块的交界处。板块的边缘有时会交错在一起，并多年保持静止状态。然而，随着地球内部压力的增加，板块会在移动时互相碰撞或挤压，拉开岩层，从而导致地震的发生。

今天，旧金山市有严格的规定以确保建筑物在地震中尽可能地安全。但这些规定在1906年还未制定，美国历史上最具毁灭性的一次地震那一年就在旧金山发生了。

1906 年地震的震中就在旧金山地区。震波一直传到了数百千米之外。

震中位于旧金山

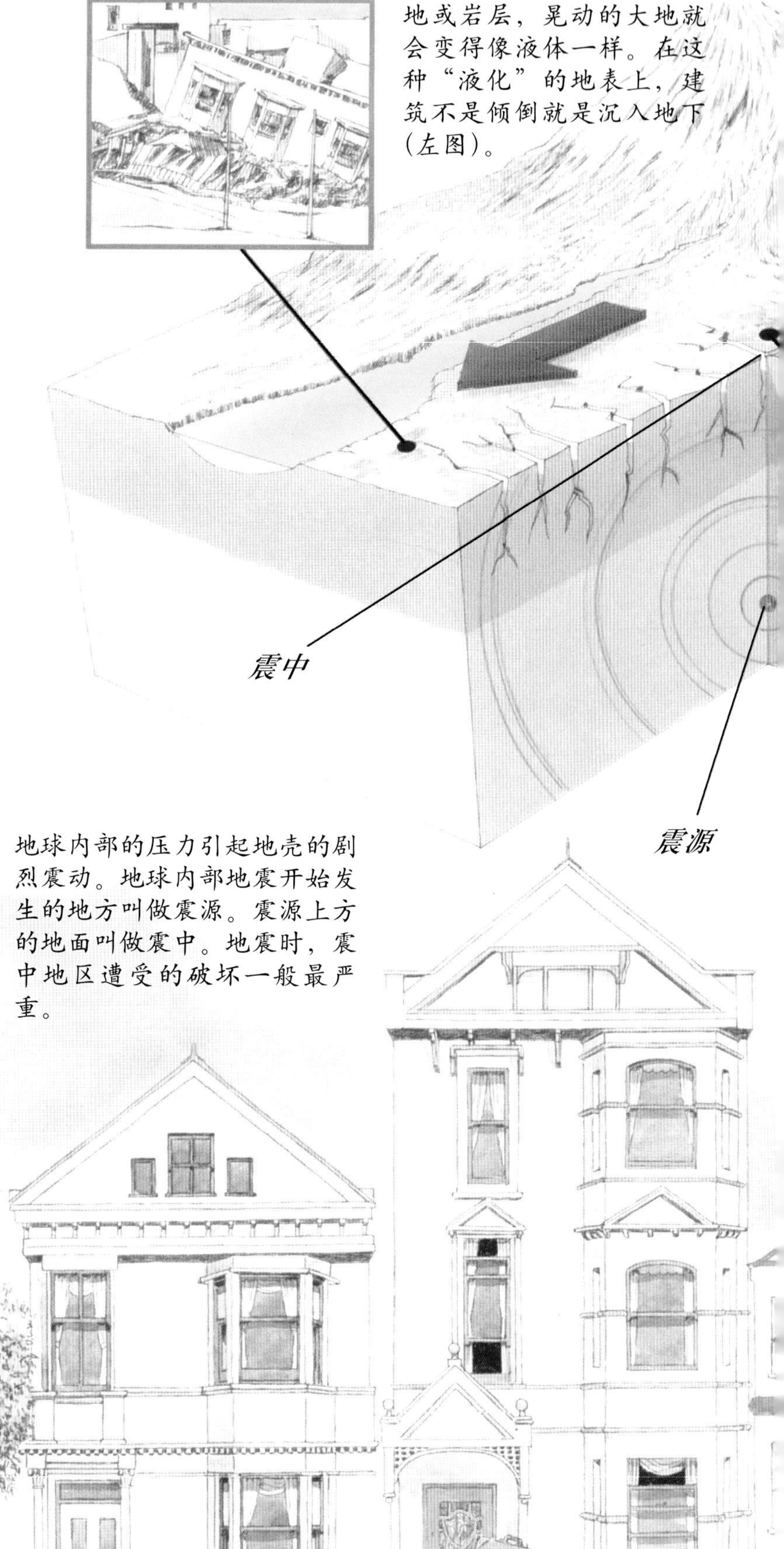

如果地震波经过松软的土地或岩层，晃动的大地就会变得像液体一样。在这种“液化”的地表上，建筑不是倾倒就是沉入地下（左图）。

地球内部的压力引起地壳的剧烈震动。地球内部地震开始发生的地方叫做震源。震源上方的地面叫做震中。地震时，震中地区遭受的破坏一般最严重。

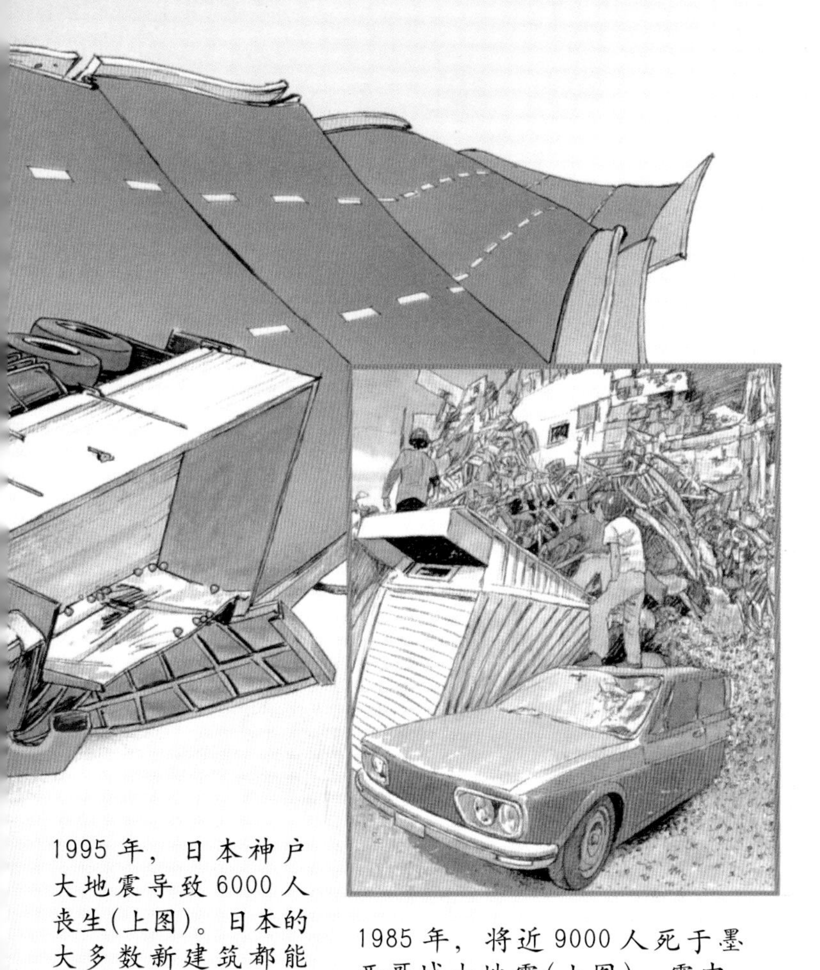

1995 年，日本神户大地震导致 6000 人丧生(上图)。日本的大多数新建筑都能够经受地震的冲击，但是神户依然有许多老式建筑极易遭到破坏。

1985 年，将近 9000 人死于墨西哥城大地震(上图)。震中在城外 400 千米处，但是由于地震波可以传播很远，市中心也受到了剧烈的冲击。

旧金山大地震

1906 年 4 月 18 日清晨，灾难降临到了旧金山。公路像海浪一样上下起伏，房屋也开始倾斜晃动，熟睡中的人们被结结实实地从床上甩了出去。建筑物纷纷开始倒塌，许多木质结构的建筑很快便着起火来。输水管道在地震中遭到了破坏，消防员们面对熊熊燃烧的大火束手无策。他们试图炸毁一些房屋以阻止火势蔓延，岂料未能奏效。数千人无家可归，有的离开了这座城市，有的露宿街头，超过 500 人在地震中丧生。

台风

台风是在温暖的海面上形成的一种强烈的热带气旋。在温暖的海面上，暖湿空气不断向上爬升形成最初的小小的大气旋涡，随后不断扩大，最后形成围绕着一个中心(即风眼)的快速移动、旋转的气旋。台风的直径一般可以达600千米。

随着发生地点的不同，这种热带气旋在不同的地区有不同的名称：发生在太平洋东部和大西洋上的热带气旋叫做飓风，发生在太平洋西部和南海上的叫做台风，而发生在印度洋上的则被叫做旋风。

水蒸气在上升的过程中凝结并形成厚厚的云层。

云层下方暴雨倾盆

上升的盘旋气流

风眼

热带气旋内部

海平面上的暖湿空气上升形成了热带气旋。冷空气吹来填补气旋下方。地球的自转使得爬升的气流以每小时50千米的速度运动，其掀起的狂风时速可达360千米。在气旋的中心是风眼，那里风力比较微弱，甚至无风。

经历风暴

热带气旋是最强烈的风暴，经历风暴是一件非常恐怖的事情。强风吹倒建筑物，拔起树木，将所到之处都夷为平地。8米多高的巨浪从海上涌上内陆，滂沱的大雨导致洪水泛滥和山体滑坡。在经济发达的国家，人们有更多的措施来预防风暴。他们的房屋更坚固，门窗更结实。如果情况变得过于危险，便利的交通和良好的组织可以让人们及时撤离风暴地区。但是在贫穷的国家，情况就没这么好了。那里用来预防风暴的资源和设备有限，没有足够的避难所，也缺乏及时必要的救援服务。

孟加拉国是一个农业国家，大部分居民是农民。人们生活在他们赖以生存的土地上，尽管那里时时面临洪水和暴风等灾害的侵袭。那里交通十分不便，灾难发生后人们很难顺利逃亡。脆弱的房屋又极易被摧毁，如果农作物受损，人们很可能连吃的东西都找不到。1970年，一场旋风（上图）使多达50万人丧生。

地图（上图）显示了旋风登陆孟加拉国的路径。

1991年，一场飓风袭击了美国佛罗里达州的海滨。巨大的海浪席卷了迈阿密南部，造成了巨大的损失（左图）。

瘟疫

鼠疫是一种常见的瘟疫，是通过寄居在老鼠身上的跳蚤传播的一种致命传染病，也称黑死病。14 世纪中期，这种疾病大肆流行，夺走了欧洲大约 3000 万人的生命，亚洲和非洲死亡的人数更多。英格兰一半的人都死于这种疾病——由于尸体过多，人们无法一一安葬他们，只能挖一个大坑将他们全部掩埋。鼠疫的类型很多，最常见的是腺鼠疫和肺鼠疫。腺鼠疫患者的特征是发热，腋窝和腹股沟出现深色肿块，感染数天之内就会死亡。肺鼠疫是最严重的一种，患者几小时内可能就会死亡。14 世纪爆发的黑死病是有史以来最严重的瘟疫。今天，瘟疫只存在于世界上最贫穷的地区。

导致农作物受灾的疾病与直接致人死亡的疾病同样可怕。19 世纪 40 年代，一种由真菌引起的土豆枯萎症在全欧洲扩散开来(上图)。在爱尔兰，人们主要依靠土豆为生。没有了土豆，100 多万人死于饥饿或是由于体质虚弱感染疾病而亡。爱尔兰土豆饥荒由此闻名，超过 100 万人离开了爱尔兰再也没有回去。

蝗虫

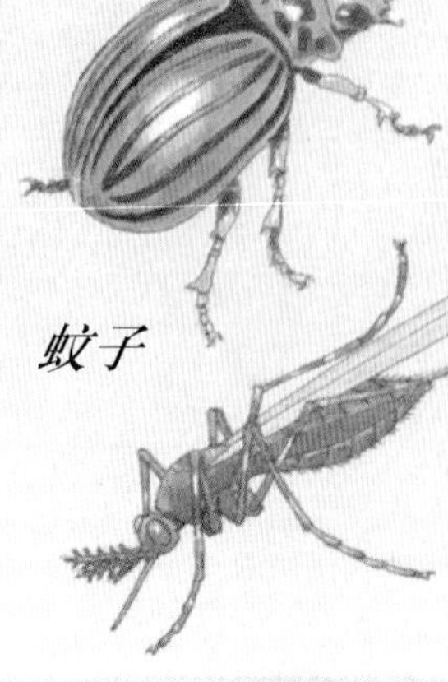

科罗拉多甲虫

蚊子

《圣经》里讲述了摩西带领以色列人脱离埃及人奴役的故事。在他们离开前，埃及遭遇了十大灾难，有些是虫灾，有些是疾病，其中的一场灾害是蛙灾。蛙灾过后，又出现了虱灾和蝇灾。科学家们和历史学家们认为虱子和苍蝇的到来是为了蚕食青蛙的尸体。

流行病

当一种疾病在一大群人中传播时，就被称为流行病。不同的疾病传播方式也不同。很多疾病都是由微生物引起的，这些微生物主要分两类：病毒和细菌。有些细菌在虱子或跳蚤等叮咬人时传播给人，腺鼠疫就是一例。有些细菌通过水或空气，甚至是人与人的接触传播。很多细菌引起的疾病都可以通过抗生素等药物治疗。1928年，科学家亚历山大·弗莱明发现了第一种抗生素——青霉素。

还有些疾病是由更小的生物——病毒引起的，例如流感。流感病毒通过空气飞沫或人们互相接触传播。

很多瘟疫都出现在虫灾之后。非洲和亚洲时常会出现蝗灾，蝗虫成群而至，吃掉所有的农作物。发生鼠灾时，大量的储备粮都会被老鼠吃掉，它们还会传播疾病。一场科罗拉多甲虫灾害毁掉了成片的土豆田地。蚊子会传播疟疾。

科学家罗伯特·柯赫(上图)在人体的排泄物中发现了导致霍乱的细菌。霍乱细菌通过人们饮用沾染了这种细菌的水而传播。柯赫还研究了诸如肺结核、腺鼠疫和疟疾等疾病。

19世纪，爱德华·詹纳博士发现，曾经患过牛痘这种危险性相对较低的疾病的人群对天花是免疫的，便产生了为人们注射牛痘病毒使他们对天花产生免疫的想法。他把这种方法称为疫苗接种。现在，全世界范围的疫苗接种已经让天花完全消失了。

16世纪，西班牙侵略者将天花传染给了阿兹特克人。当时的一些图记录了这种疾病带来的灾难。

艾滋病是一种由病毒引起的死亡率极高的传染病。艾滋病毒可以通过不正当的性行为、血液和母婴遗传等途径传播。

1918年第一次世界大战刚刚结束，西班牙就爆发了一场流感。全世界超过4000万人因此而丧生。

疯牛病是由于牛吃了被疯牛病病原体感染的饲料之后，病原体随着血液到达大脑，进而破坏牛的大脑并导致其死亡。人类如果食用了被污染的牛肉也会有患病的危险。

洪水

河流是人类和动植物生存所必需的淡水资源，在人们的家庭生活、农业和工业生产中扮演着重要的角色。河流还是运输货物和旅客的重要航道，许多江河流域附近的村庄、乡镇和城市都比较发达。

长江和黄河是几千年中华文明的发源地，哺育了千千万万中华儿女。早在远古时期，中华民族的祖先就在长江和黄河流域劳作生息。水稻是我国主要的农作物之一，必须在水田里种植，因此江河流域是最适合种植水稻的区域。但是在河流附近生活和工作也会面临危险，当过多的冰雪融水汇入江河，或是天降大雨，就可能发生洪灾。

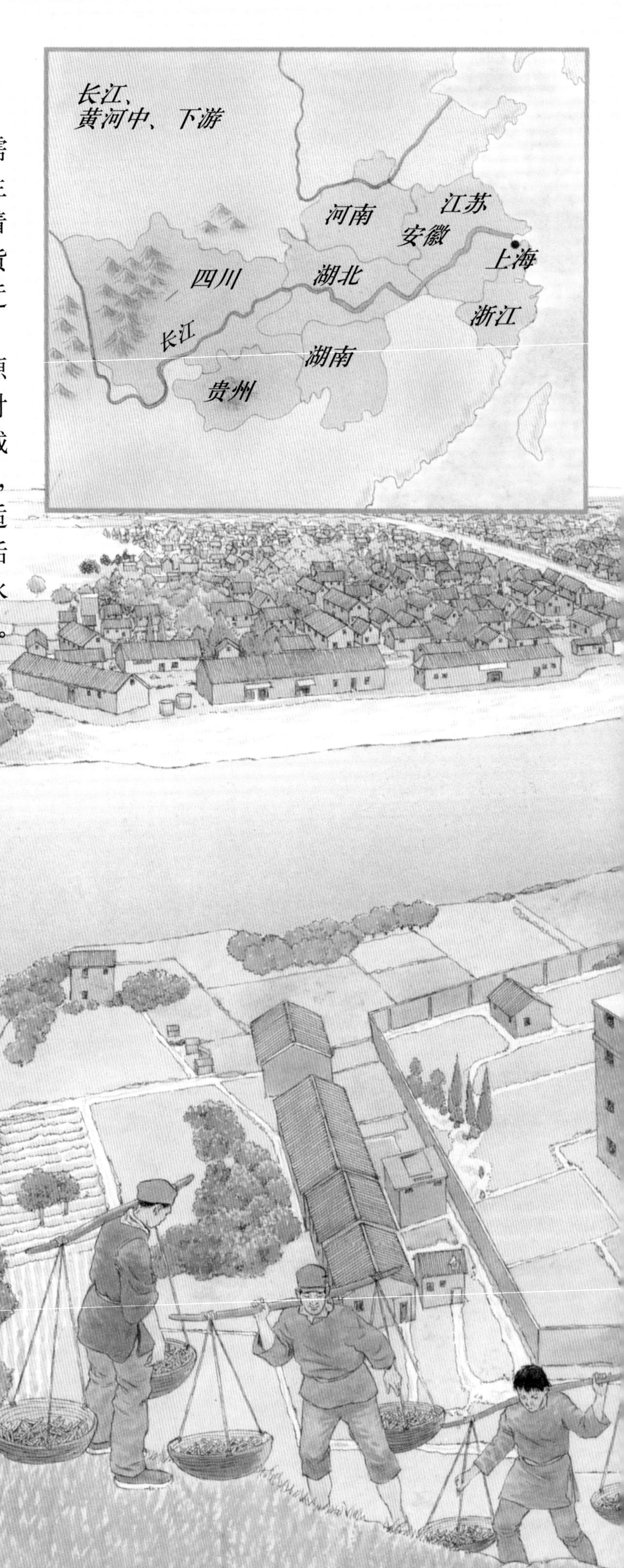

发生在海底的地震可能引发滔天巨浪甚至海啸（下图）。海啸在外海时，波浪较低较宽。但到达近海岸边时，波浪会骤然升高到30多米，并以每小时600千米的速度冲上陆地，摧毁岸上的一切。2004年的印度洋海啸造成近30万人遇难，数百万灾民无家可归。

水灾的危害

1931年发生长江大水时，中国有16个省份受灾。1954年的长江、淮河大水夺去了3万余人的生命。进入20世纪90年代，中国相继发生了6次严重的洪涝灾害。1998年的洪灾是继1954年大水之后最严重的一次。在这次特大洪灾中，在党中央和国务院的坚强领导下，几百万军民英勇奋斗，取得了抗洪的全面胜利。

洪灾等自然灾害的频繁发生，是大自然向我们敲响的警钟。我们应该注意到保护生态环境的重要性，挽救自然、挽救环境已刻不容缓。同时，在灾害发生后，积极地抗灾减灾，才能将损失降到最低。

天气预报

对未来的天气进行预测，并有准备地预防坏天气可能造成的灾害，可以挽救更多的生命，减少损失。人们研究气象已经有数百年了。过去，气象学家们使用简单的温度计和气压计来测量气温和气压，并根据这些信息来预测天气。但当时的预测准确度不高，所以大雨和风暴的到来还是会让人们措手不及。

今天，气象学家们使用先进的温度计、气压计和其他设备，能够更为精确地预测天气的变化。他们研究云团的移动、风的速度和方向以及降雨量等气象状况。各种精确的测量工作在全世界成千所气象站中进行，甚至在海上的石油钻探平台、轮船气象浮标上也能进行天气预测。飞机和热气球将气象设备带到高空中获取大气层的气象数据。雷达用于探测降雨的区域和降雨量的多少。卫星发回云层照片和全球天气系统的信息。所有这些数据都会汇集在气象中心用来预测天气。

气象气球

气压计

空气在各个方向都对我们施有压力。气压计(上图)就是测量这种压力强度的仪器。潮湿空气的压力比干燥空气的要小，在低气压的天气下经常会下雨。像这样的气压计已经有上百年的使用历史了，现在的气象观测爱好者们还在使用它。

气象浮标从20世纪70年代就开始投入使用。它们在大洋中一边漂流，一边测量温度、风速、气压和湿度，并将信息发送给卫星，卫星再将信息反馈给陆地上的气象中心。在那里，人们将对这些数据进行分析，然后进行天气预测。

气象浮标

在气象中心(下图)，人们利用计算机分析从天空、陆地、海上和卫星等各种设备传来的数据。气象专家们研究这些数据以便提前数天预测天气状况。

充满了氦气的热气球携带着各种气象观测设备升到了距地面20千米的高空中，这些设备要用于测量气压、温度和湿度。飞机也可用于高空气象观测，下图这架飞机就是专门为气象观测而改装的。在美国，专门的气象观测飞机甚至能飞到飓风中收集数据。

我们在电视上看到的天气预报是在气象中心制作完成的。预报员尽可能简要地向观众播报天气情况，使观众对未来天气有所了解并做出相应准备。对户外工作者，特别是农民来说，天气尤为重要。目前，未来几天之内的天气预报已经非常精确了。但长时间的，如一个月后的天气情况还不能做出准确预测。

气象卫星主要有同步气象卫星和极轨气象卫星两种。从地球上看，同步气象卫星总是静止在某个地方的上空。它会发回很多图像和数据，气象学家们利用这些数据分析风速、风向，并预测天气。极轨气象卫星的运行轨道环绕地球两极，它能够进行全球观测，收集全球大气的信息，并能传回图像等资料。

极轨气象卫星

同步气象卫星

从太空中看到的热带气旋

词汇表

外逸层
大气层最外边的那部分。

磁层
外逸层下面的那层大气。

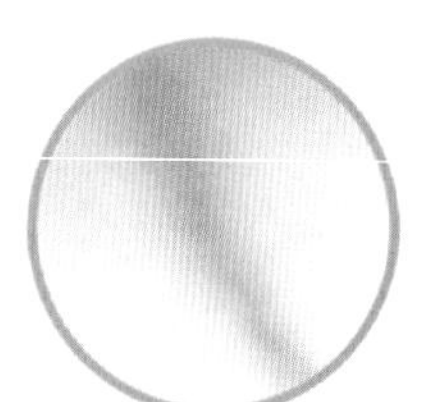

中间层
平流层和热层中间的一层大气。

平流层
在对流层之上、中间层之下的一层大气。

对流层
大气层中离地面最近的一层。它包含了我们呼吸所需的空气，也是各种天气状况发生的区域。

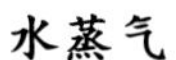

水蒸气
水的气态形式。受冷之后，水蒸气会再度液化为水。

地壳
地球固体圈层的最外层。大陆地壳较厚，大洋地壳较薄。

地幔
地球地壳和外地核中间的一层。

压力
某种物体受到的持续不断的力。空气对地球和地球上所有的物体都有压力。地下岩层间的压力可以引发地震。火山内部压力的聚集可能导致爆炸和火山喷发。

褶皱山
两大板块互相挤压使得地面向上隆起形成的山脉类型。

大陆
广大的陆地。

火山
一种喷发时将地球深处的岩浆等高温物质带到地球表面的山体。

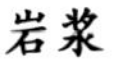

岩浆
地下熔融或部分熔融的岩石。

小行星
围绕太阳运转的岩石块或小型行星。小行星有时候离地球过近，会被地球引力吸引而坠落到地球表面。

陨星
从太空坠向地球表面的岩石块。陨星通常会在地球的大气层中燃烧殆尽。

熔岩
喷出地球表面的岩浆。

断层
地壳的裂缝处，多位于板块交界地带。

震中
震源正上方的地面。

震源
地球内部发生地震的地方。

液化
本来指气体因温度降低或压力增加而变成液体，文中指地震对松软沙石和泥土产生的作用——使它们的运动像液体一样。

雪崩
大量冰雪快速地从山上倾泻而下。

台风
发生在太平洋西部和南海上的热带气旋的名称。

热带气旋
由急速的温热空气向上爬升形成的热带气旋，会带来强降雨。

赤道
一条想象中的环绕地球表面，与南北两极距离相等的圆周线。它把地球分为南、北两半球。

龙卷风
多发于美国陆地上的高速而又强烈的旋风。

鼠疫
老鼠身上的跳蚤携带的一种疾病。

黑死病
鼠疫的别名，一种危害很大的传染性疾病。

细菌
一种体积微小的微生物，有的对人类有益，有的有害。

抗生素
一种杀灭细菌的药物，可治疗由细菌导致的疾病。

霍乱
通常由被污染的水中的细菌引起的传染性疾病。

湿度
衡量空气中水汽多少的指标。

海啸
由大洋之下的地震引起的巨浪。

接种疫苗
使人们对某种疾病免疫的方法。

曾经发生的灾难

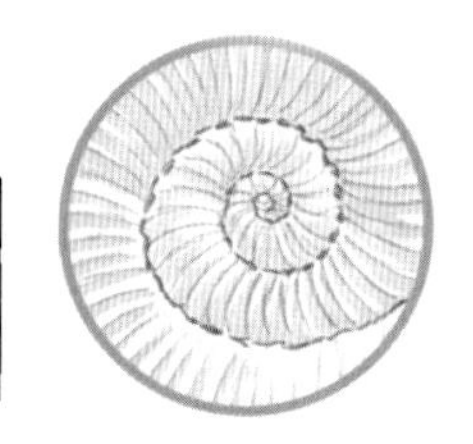

温室效应是由燃烧煤、石油和其他燃料导致的。这些燃料燃烧时会释放出大量二氧化碳气体。这种气体含量过多，大气就会像毯子一样保存地球上的热量，从而导致地球气候变暖。气候变暖会导致两极冰雪融化，海平面就会上升，地势较低的海岸地区和海岛就有遭遇洪水甚至被海洋吞没的危险。

地球上的生命遭受的最大的自然灾害发生在2.5亿年前。原因很可能是火山活动使空气中充满了尘埃和化学物质，这又导致海水的酸度升高。大量的海洋生物死亡，将近90%的四足动物和众多昆虫也未能幸免于难。那次灾难被称为物种大灭绝。6500万年前，另一场灾难的爆发导致了恐龙的灭绝。

1974年，“特蕾西”旋风袭击了澳大利亚达尔文市，90%的房屋被毁。将近4万人无家可归，好在只有50人丧生。

1992年，美国中西部地区发生了将近1300次龙卷风。科学家们通过携带着雷达的移动实验设备在龙卷风形成时对其进行研究。龙卷风在接触地面时是最危险的。

肺结核是一种曾导致全球数百万人丧生的肺部感染疾病。到20世纪中期，医生们已经能够使用抗生素治愈这种疾病了。不过现在有一些肺结核菌开始对抗生素药物产生耐药性。肺结核对艾滋病患者来说非常危险，因为艾滋病毒已经使他们的身体难以抵御肺结核菌的感染了。

疟疾是世界上死亡率最高的疾病之一，多发于热带地区。非洲每年都有将近3000万人感染疟疾。随着世界气候变暖，疟疾也可能会在非热带国家爆发流行。

1815年，印度尼西亚的坦博拉火山在爆发时将大约80立方千米的灰尘喷射到大气中，改变了全球的天气状况。第二年夏天，欧洲和北非变得又湿又冷，农作物歉收，很多人遭遇了饥荒。

1991年，菲律宾皮纳图博火山的爆发是20世纪最猛烈的火山爆发之一。20万人被从该地区撤离，但仍有1000多人丧生。

里氏震级能够直接反映地震释放能量的大小。如果地震级别超过里氏6级，就会造成严重的破坏。

麦加利地震烈度衡量地震造成的破坏程度。1级麦氏地震几乎难以察觉。而到12级时，地面上的所有东西都会被摧毁。

1976年的唐山大地震震级为里氏7.8级，24万多人丧生，36万多人受重伤。

1998年11月，“米奇”飓风袭击了中美洲，超过9000人遇难，其中洪都拉斯和尼加拉瓜两国的死亡人数最多。“米奇”所到之处，伴随着狂风、暴雨、洪水和山体滑坡，摧毁了住宅、道路和桥梁，水力、电力等生产、生活设施遭到严重破坏。一些科学家认为山体滑坡是由于人类大肆砍伐树木而造成的。这是由于大面积森林被砍伐之后，在大雨来临时就没有树木稳固土壤了。

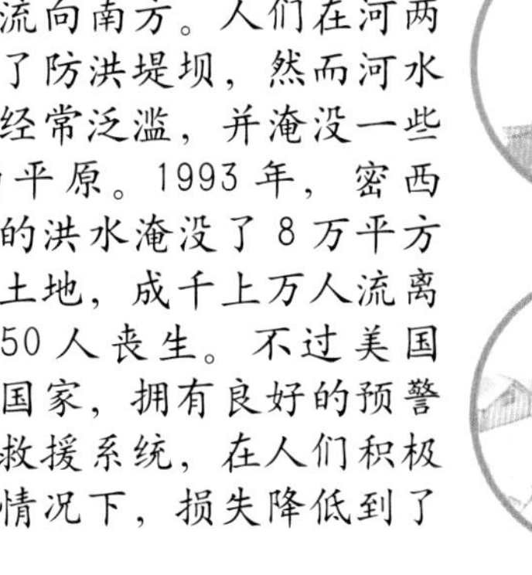

密西西比河从美国的北方几乎笔直地流向南方。人们在河两岸筑起了防洪堤坝，然而河水还是会经常泛滥，并淹没一些低洼的平原。1993年，密西西比河的洪水淹没了8万平方千米的土地，成千上万人流离失所，50人丧生。不过美国是发达国家，拥有良好的预警机制和救援系统，在人们积极救援的情况下，损失降低到了最小。

1953年，海上风暴导致海水倒灌涌入荷兰内陆达60千米，数百人在洪水中丧生。那次风暴还导致英格兰和比利时许多海岸地区发生海水倒灌。

干旱造成的灾难几乎与洪水不相上下。当河流与水井干涸时，庄稼会枯死，牲畜和人都会挨饿。20世纪80年代早期，非洲部分地区出现了一次极为严重的旱情，连年的干旱少雨导致农作物颗粒无收。1984年～1985年的埃塞俄比亚旱情尤为严重。没人知道到底死了多少人，在最严重的时期，每个月都有超过2万人丧生。

“厄尔尼诺”是指太平洋沿岸海面水温升高，海水水位上涨，并形成一股暖流向南流动的现象。这种情况的发生几乎会影响到全世界的天气状况。

黄河是中华民族的母亲河，但它在过去的几千年中经常泛滥。1887年，一场特大的洪水冲破了沿岸的堤坝，淹没了将近7.8万平方千米的土地，大约有150万人丧生。

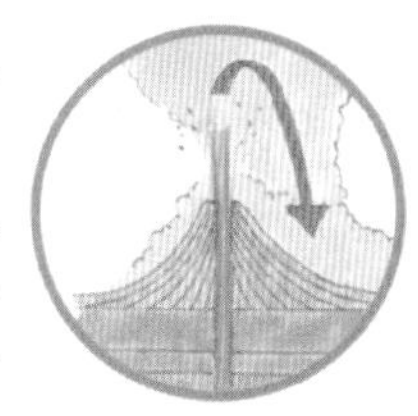

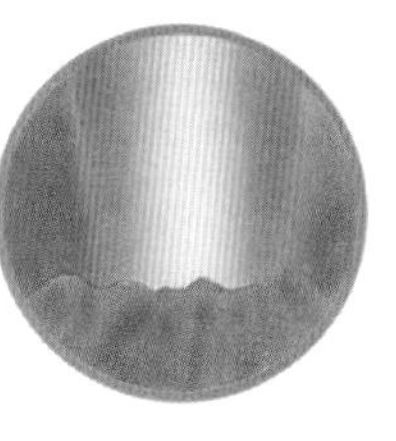

著作权合同登记号　图字：01-2006-6206 01-2006-6219

图书在版编目(CIP)数据

世界奇迹与自然灾害 /（英）博金，（英）沃恩著；（英）博金，（英）休伊特森绘；施伟译. -北京：北京科学技术出版社，2010. 1
（深度探索）
ISBN 978-7-5304-3844-2
Ⅰ. 世…　Ⅱ. ① 博… ② 沃… ③ 博 …④ 休… ⑤ 施 …　Ⅲ. ①科学知识 - 少年读物 ②自然灾害 - 少年读物　Ⅳ. Z228.2　X43-49
中国版本图书馆 CIP 数据核字（2009）第 187115 号

世界奇迹与自然灾害

作者：[英]马克・博金　[英]詹妮・沃恩　绘者：[英]马克・博金　[英]尼克・休伊特森
译者：施伟　策划：刘杨　责任编辑：蒲仪　邵勇
出版人：张敬德　出版发行：北京科学技术出版社
社址：北京西直门南大街 16 号　邮政编码：100035
电话传真：0086-10-66161951(总编室)
0086-10-66113227(发行部)　0086-10-66161952（发行部传真）
电子信箱：bjkjpress@163.com　网址：www.bkjpress.com
经销：新华书店　印刷：北京捷迅佳彩印刷有限公司
开本：940mm×1194mm　1/16　印张：4
版次：2010 年 1 月第 1 版　印次：2010 年 1 月第 1 次印刷
ISBN 978-7-5304-3844-2/Z・1205

定价：24.80元

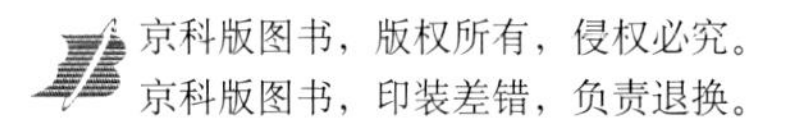

深度探索

内含奇妙切页，直面精彩一幕！

金字塔与木乃伊

作者：[英]亨丽埃塔·麦考尔
绘者：[英]戴维·安特拉姆
译者：施伟

北京科学技术出版社

目 录

金字塔

7 世界各地的金字塔
古代和现代的金字塔

8 古代埃及
法老筹划自己的葬礼

10 地基的建造
建造金字塔要进行大量的规划工作

12 建筑工具
各种切割、雕凿、运输石材的工具

14 采石
开采、运输、雕凿石材

17 金字塔拔地而起
凝聚人类智慧和力量的杰作

18 大型工作室
工匠们的工作和生活

21 技艺娴熟的工匠
充满智慧的埃及人

22 制作木乃伊
耗资巨大的制作程序

25 皇家葬礼
装着法老尸体的圣骨匣被运到灵堂

26 中美洲金字塔
膜拜神灵的场所

28 亚洲金字塔
塔达玛吉神庙和波罗巴度神庙

30 词汇表

31 有关金字塔的常识

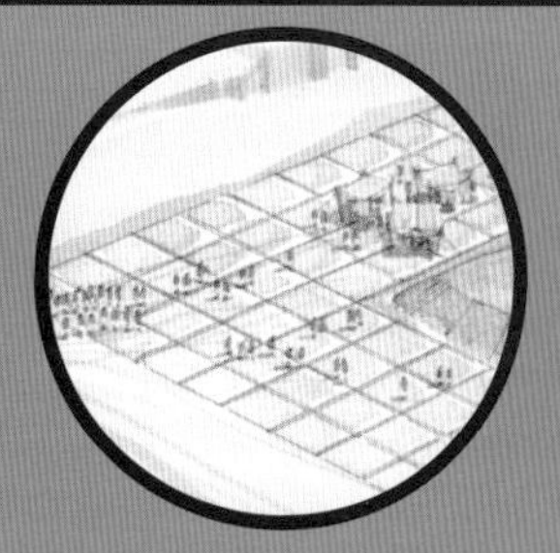

木乃伊

34 古代埃及
法老、神灵和尼罗河之乡

36 丧葬
木乃伊的起源和金字塔的建造

38 制作木乃伊的准备工作
取出尸体的内脏器官并在做防腐处理的地方风干

42 包裹木乃伊
用亚麻布条包裹木乃伊，带有魔法的护身符和祭司咒语的重要性

46 木乃伊的棺木
从普通的木制盒子到雕工精美的棺木，镀金的圣骨匣和面具

50 葬礼的程序
从制作木乃伊的地方穿过尼罗河到达最终安息的场所——陵墓

52 墓葬的陪葬品
在另一个世界中生活需要的物品——珠宝、衣服、食品和众多仆人

54 盗墓
盗墓者潜进陵墓盗走大部分财物

56 各种木乃伊
世界各地自然形成的木乃伊

58 词汇表

59 有关木乃伊的常识

金字塔

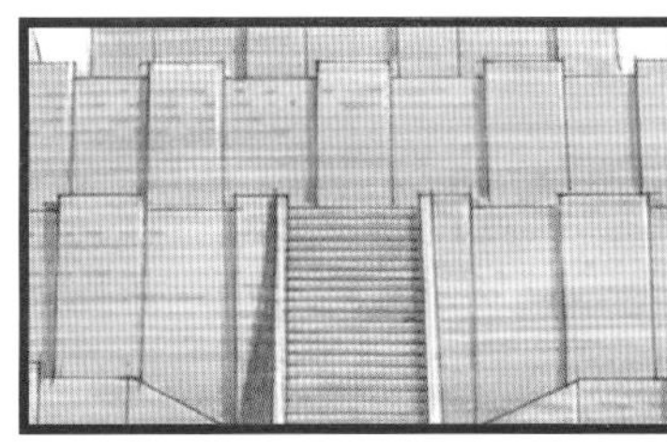

作　者：[英] 亨丽埃塔 · 麦考尔

绘　者：[英] 戴维 · 安特拉姆

译　者：施　伟

最早的苏美尔人金字形神塔(位于现在的伊拉克)是在乌尔、埃利都、乌鲁克和尼普尔几个城市中修建的。在巴比伦，最著名的金字形神塔名为艾提曼南基，供奉的是伟大的神灵马杜克。该塔十分高大，以至后来的人们认为它就是《圣经》中描述的巴别塔。古罗马人非常崇拜古埃及人，以至于在公元前30年埃及成为罗马帝国的一部分之后，古罗马人把方尖碑和斯芬克斯雕像运回了罗马，还修建了他们自己的金字塔。

世界各地的金字塔

金字塔的形状人人皆知：平整的地基四角牢牢地伫立在地面上，而四面边墙则高耸入云，最后汇集在一个尖顶上。

最早的金字塔建造于古埃及，它们是法老（国王）们的陵墓。一种构造与之相似的建筑叫做金字形神塔，则建造于古代的美索不达米亚（现在的伊拉克）。金字形神塔有着四方的地基，在它的正面和两侧分别有一排台阶，这三排台阶在合适的角度交汇，通向膜拜神灵的神庙。古代的历史学家希罗多德曾经描述道，在巴比伦这样一座神庙中，国家的高等女祭司和国王曾经举行过一次神圣的婚礼来祈求土地的富饶。在埃及南部的努比亚，当地的国王被埋葬在边缘陡峭的砂岩金字塔中。陡峭的金字塔在古罗马也是陵墓的所在地，而在中美洲和远东，金字塔则是膜拜神灵的场所。

很多国家，包括美国、法国和埃及本身，都建造了现代金字塔。它们被用作办公大楼、酒店、大门和博物馆。

伦敦的金丝雀码头大厦楼顶有一座真正的金字塔。该大厦是全英国最高的建筑，高达244米。旧金山的泛美金字塔高257米，经过了抗震设计。密歇根州的格兰德·雷皮兹金字塔则是由闪闪发光的钢铁建成的。在现代的埃及，人们建造了一座金字塔，并在上面开凿出一扇金字塔形的拱门，用来纪念萨达特总统。

卢浮宫博物馆金字塔（左图）是用钢铁和玻璃在一块30平方米的混凝土地基上建造而成的。金字塔高20米，周围还有3座稍小的金字塔，各高5米。其建筑师是美籍华人贝聿铭。

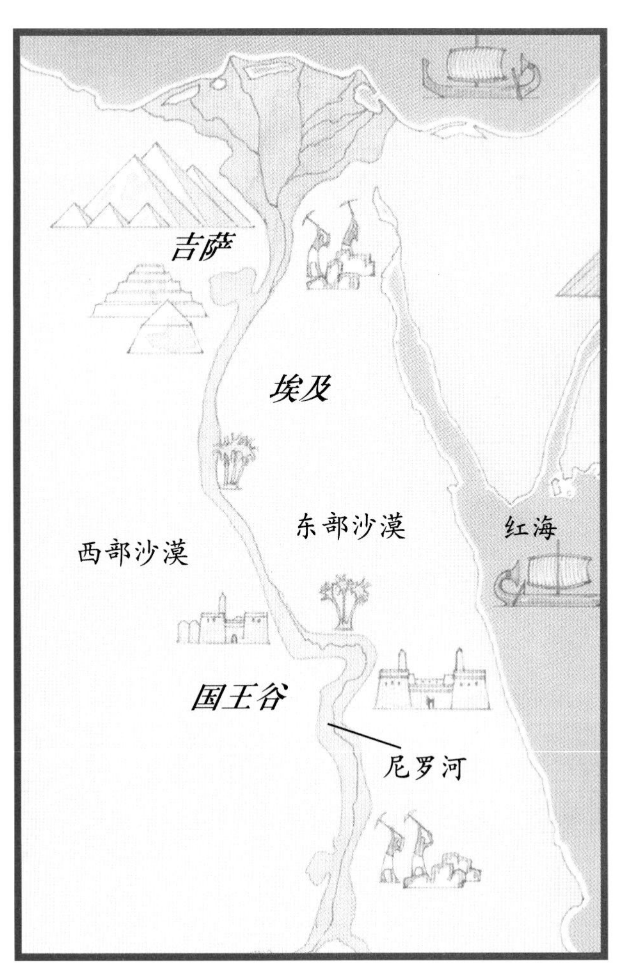

古代埃及

古代埃及的历史分为三个主要时期：旧王朝时代、中王朝时代和新王朝时代。旧王朝时代也被称为金字塔时代，就是在这个时期埃及人学会了怎样建造完美的金字塔。建造一座金字塔需要详尽的规划、成百上千技艺娴熟的工匠和大量的石材，这意味着下葬在金字塔中的待遇只能是法老或者其他皇室成员才能享有的。法老通常都被安葬在金字塔深处的墓室中，随葬的还有他在阴间生活所需的财物和其他一切必需品。主持过已故法老葬礼的高等祭司都发誓恪守墓室所在地的秘密。葬礼过后，墓室会被密封起来，这样法老就可以在地下沉睡，并且永远不受打扰。不幸的是，秘密最终还是泄露了，所有的金字塔都遭到了盗墓团伙的洗劫。

爱神哈托尔

最早的埃及墓葬其实就是在地上挖一个简易的深坑（左下图），把遗体和一些罐子、珠子放入坑中，再填上沙土。

埃及的气候炎热干燥，因此尸体在简易的坑中也不会腐烂。它们变得非常坚硬，就像皮革一样。有一些还留存到了今天（左上图）。

斜纹石椁

上图中是最早建造的金字塔的样子。人们先通过一条陡峭的隧道在地下开挖出墓室，然后在墓室和入口的上方建造一座被称为斜纹石椁的平台。在这座平台上再依次建造五座平台，每一座都比下面的一座稍小一些。

在埃及的塞加拉，你仍然能看到阶梯金字塔（下图）。此后，埃及人就用填充的石块将阶梯填补上，建造出了真正的金字塔。然后他们再用精细打磨过的石灰石砖块覆盖整座金字塔，使其在炽热的阳光下熠熠生辉。

阶梯金字塔

弯曲金字塔

生育女神伊西斯 *太阳神阿蒙* *太阳神拉* *冥神奥西里斯* *太阳神阿图姆* *战神门图* *真理和正义女神玛特*

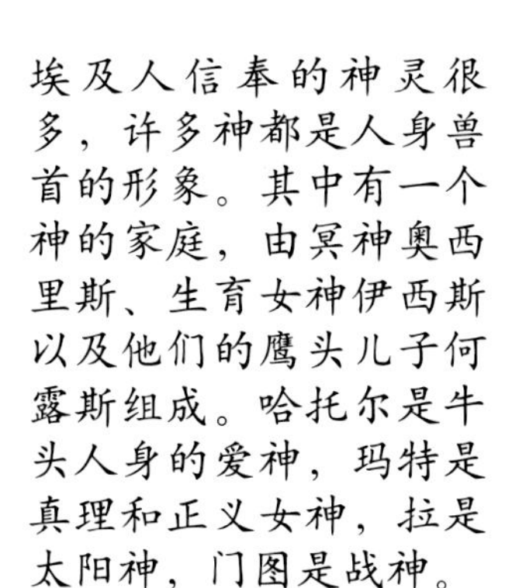

埃及人信奉的神灵很多，许多神都是人身兽首的形象。其中有一个神的家庭，由冥神奥西里斯、生育女神伊西斯以及他们的鹰头儿子何露斯组成。哈托尔是牛头人身的爱神，玛特是真理和正义女神，拉是太阳神，门图是战神。

新法老在即位之初就开始筹划自己的葬礼，因为建造金字塔需要耗费很多年的时间。他会亲自咨询高等祭司和自己的维西尔，挑选合适的地点。金字塔只是整个规划的一部分——另外还会修建一座神庙和一条举行仪式用的一直通向尼罗河的堤道。

古代埃及的社会秩序井然。法老统治整个国家，并有众多官员如维西尔和军队统帅的支持。另外还有祭司、书记和地方官员等。大部分埃及人从事简单的农耕，他们也参加皇家金字塔的修建工作，可以得到食物和住房等报酬。在古代的埃及没有奴隶。

埃及的领土大部分是沙漠，极少降雨。每年6月到9月间，尼罗河就会泛滥一次，河水淹没整个山谷，带来了肥沃的黑泥土。古埃及人常种植小麦以制作面包，种植大麦酿造啤酒，还种植小扁豆、洋葱和生菜等蔬菜，以及枣和无花果等水果。人们从蜂巢中采蜜，在河中捕鱼，不过只有富人才吃得上肉类食物。

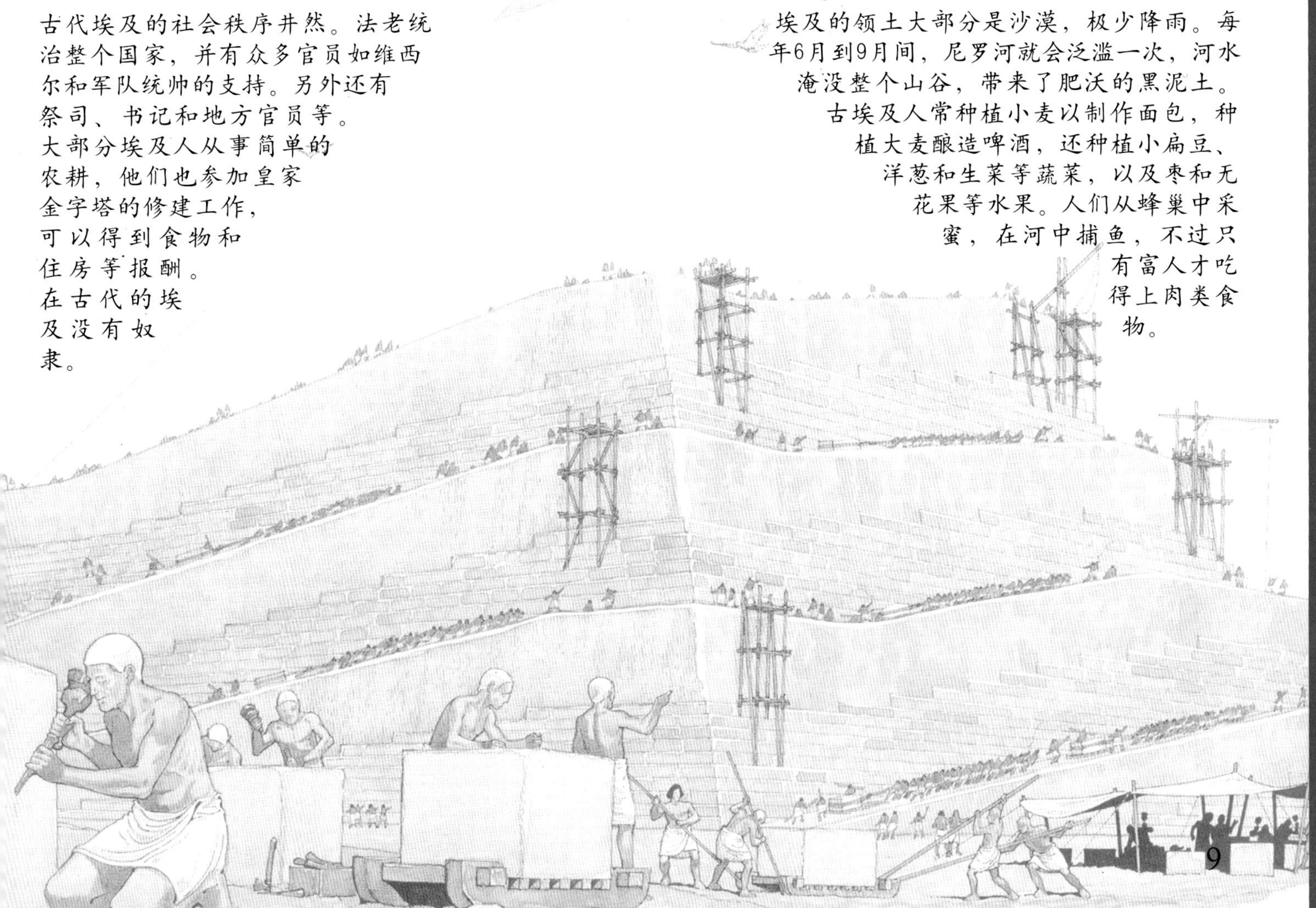

地基的建造

建造符合法老设想的金字塔需要进行大量的规划工作。首先要选取理想的地点。这个地方一定要非常大，因为一座金字塔从来都不是孤立地建造起来的。它是由多所不同建筑组成的巨大综合体的一部分，其中包括：一座灵堂——用来歌颂已故法老的生平，为法老的王后和王子准备的小型金字塔，法老去往阴间所乘坐的渡船的航道，以及通向尼罗河的堤道。要在河边修建一个合适的码头，另外还要预留用以修建工匠的住房和储存石材的地方。大金字塔需要很多代工匠的辛勤工作才能建成——一个家族中的曾祖父、祖父、父亲、儿子和孙子可能都在同一个工地上劳作过。

金字塔的四角分别朝向东、南、西、北四个方向。为了找到正北的方向，需要建造一道环形的墙。该墙必须完全水平，高度大约及腰。

夜幕降临后，墙内的人除了夜空以外看不到其他任何东西。他会面向北方，寻找一颗特别亮的星星，然后在墙头上标记下它的位置。黎明时，他会根据那颗星星的位置在墙头上再做一个记号。

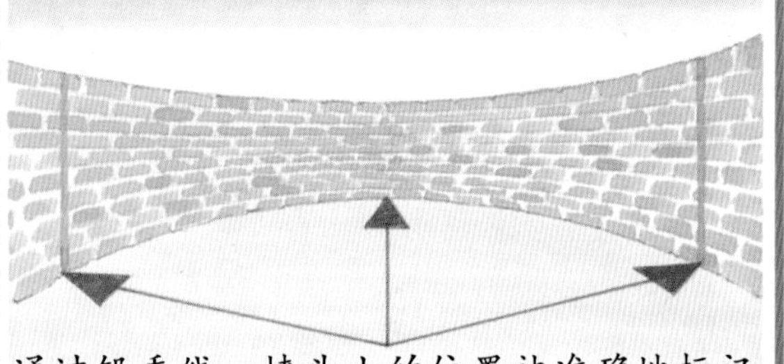

通过铅垂线，墙头上的位置被准确地标记在墙脚的相同位置上。在地上画出连接这两点和圆环中心的直线。两条直线形成了一个角度，通过将这个角度二等分就能找到正北的位置。

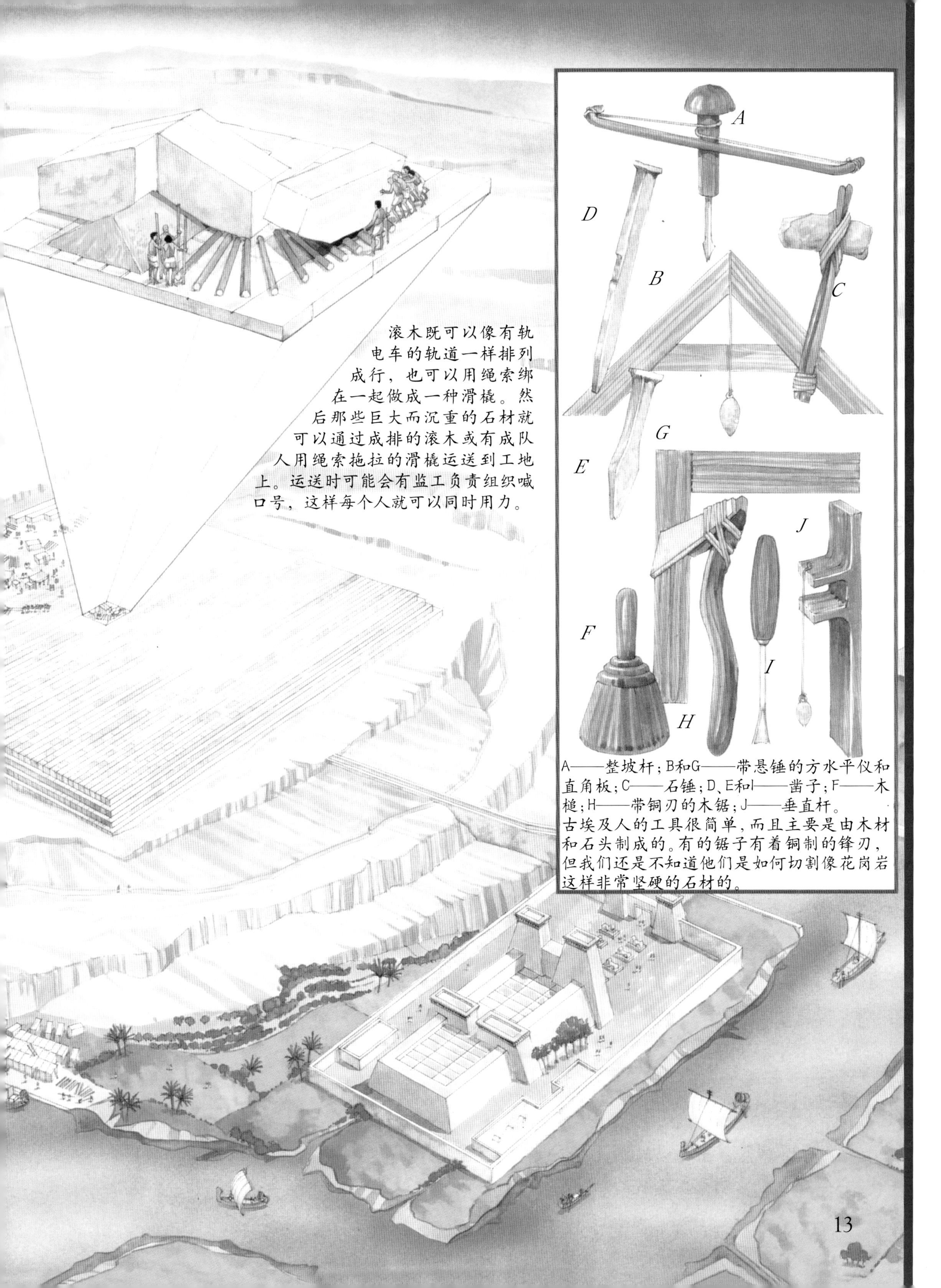

滚木既可以像有轨电车的轨道一样排列成行，也可以用绳索绑在一起做成一种滑橇。然后那些巨大而沉重的石材就可以通过成排的滚木或有成队人用绳索拖拉的滑橇运送到工地上。运送时可能会有监工负责组织喊口号，这样每个人就可以同时用力。

A——整坡杆；B和G——带悬锤的方水平仪和直角板；C——石锤；D、E和I——凿子；F——木槌；H——带铜刃的木锯；J——垂直杆。

古埃及人的工具很简单，而且主要是由木材和石头制成的。有的锯子有着铜制的锋刃，但我们还是不知道他们是如何切割像花岗岩这样非常坚硬的石材的。

采石

在一年的大多数时间里，石匠们都在采石场工作，将建造金字塔所需的大块石材开采出来。但是在6月到9月之间，尼罗河的河水就会淹没山谷的谷底。有了河水，工人们赶忙将石材运过河。他们可以乘坐驳船把石材直接从采石场运到金字塔工地，而不用再将石块拖到河边，搬上船，再运到通向工地的堤道上了。

为了将石块从采石场运到驳船上，工人们可能使用了滚木。在一些粗糙的地面上，他们可能还得用绳子来拖拉石块。

金字塔拔地而起

金字塔一层层拔地而起，每一层都比下边的一层小一些。一旦顶层完工，工匠们就会小心地用石块把阶梯填充起来，从而形成金字塔的光滑斜面。最后，工匠们会用一层高质量会反光的白色石灰石覆盖住整座金字塔。竣工后的金字塔在阳光下熠熠生辉，在夜间也反射着月光。不幸的是，随着岁月的流逝，大部分漂亮的白色石灰石面已经被移走或被侵蚀了。

开采来的石块要用船运至离工地尽可能最近的地方。它们要被拖到金字塔上。如果地面不太粗糙的话还可以借助滚木，否则就只能完全依靠人力用绳子拉了。随着监工的口号，所有的人齐声喊号，以保证大家能够同时用力拉。石块被运上金字塔塔基后，还要被拉到指定的位置。金字塔的周边还建起了夯实的泥土坡，用来将石块拉上指定的位置。

大型工作室

大金字塔的建造往往要耗费20年以上的时间。参与建造的石匠、船夫、建筑工人、厨师、艺术家、工匠、文牍书记和监工等成百上千。如此庞大的一群人不但需要工作的场所，还要有吃饭、睡觉和生活的地方。考古学家们已经在金字塔附近发现了大约一百多间房屋，从遗物上可以看出那里曾经是工匠们工作和生活过的地方——这也是工匠村庄存在的证据。那里每天都会为工匠们制作面包、啤酒和凉鞋等必需品。法老墓葬所用到的许多精美物品也是在那里制造出来的。

各种型号的陶罐被用来作为每天的饮水器皿，以及运输和储存啤酒、油、水以及其他液体的工具。工作室中有一个用来烧制陶罐的炉窑。

有些石材，特别是条纹大理岩，被石匠们用来制作雕像或石灯等物品(左图)。大的石块被立起来进行雕饰，小一些的则在工作室中进行制作。

大型的木制工具，如滚木和滑橇就是在这个工作室中制成的(上图)。木匠们还会制作门、木柱、地板和船的桅杆等。埃及的木材并不丰富，所以有的是从黎巴嫩买来的。

技艺娴熟的工匠

金字塔旁边的灵堂在法老的葬礼中起着重要的作用。灵堂象征着已故法老的威严和权力，可以让后世的人们永远记住他。

埃及的工匠们技艺高超，例如金匠和宝石匠在当时为整个世界所称赞和学习。埃及的文字被称为象形文字，是由绘制精美的图形构成的，造型美观。书写使用的颜料从石头和矿物质中提取：从天青石中可以提取出淡蓝色，从绿松石中提取出青绿色，从孔雀石中提取出深绿色，从玛瑙中提取出红色，从黄金和白银中也可以提取出颜料。

古代埃及的食物对人体非常有益：食物中富含大量纤维，并且脂肪含量很少。他们的食品以粗面包、小扁豆和豆子为主，辅以洋葱、芹菜和生菜等，还用枣和蜂蜜制作各种甜点蛋糕。无花果和石榴是他们的主要水果。富人们还经常吃各种新鲜或风干的鱼，以及烤鸭和烤鹅等。

篮筐可以存储或运送任何东西：谷物、壶罐、衣服、蔬菜，甚至婴儿。沉重的篮筐还有把手，这样两个人就可以很容易将其抬起。妇女则用头顶着轻一些的篮子。

很多金字塔工人都打赤脚或只穿粗制的草绳凉鞋，官员们则穿皮质的凉鞋——在大拇指和第二个脚趾间有一根皮条。考古学家们发现了许多历经数个世纪之后留存下来的凉鞋。一位已故法老的木乃伊脚上还穿着一双黄金凉鞋呢！

制作木乃伊

埃及人相信，为了让死者能够在阴间继续享受美好的生活，就必须把死者的尸体保存完好。古埃及人很早就学会了如何对尸体做防腐处理，以使尸体能够完好地永久保存下去。这套制作程序被称作木乃伊化。很多木乃伊完好地保存到了现在，并可以在世界各大博物馆中看到。这套制作程序会将人的皮肤变成棕色，并且坚硬得像皮革一样。这是一套耗资昂贵的程序，因此只有皇室成员和高官才可以享受木乃伊化的待遇。法老死后，他的尸身就会被送到一个专门制作木乃伊的特殊地方，由祭司们监督木乃伊制作的全过程。

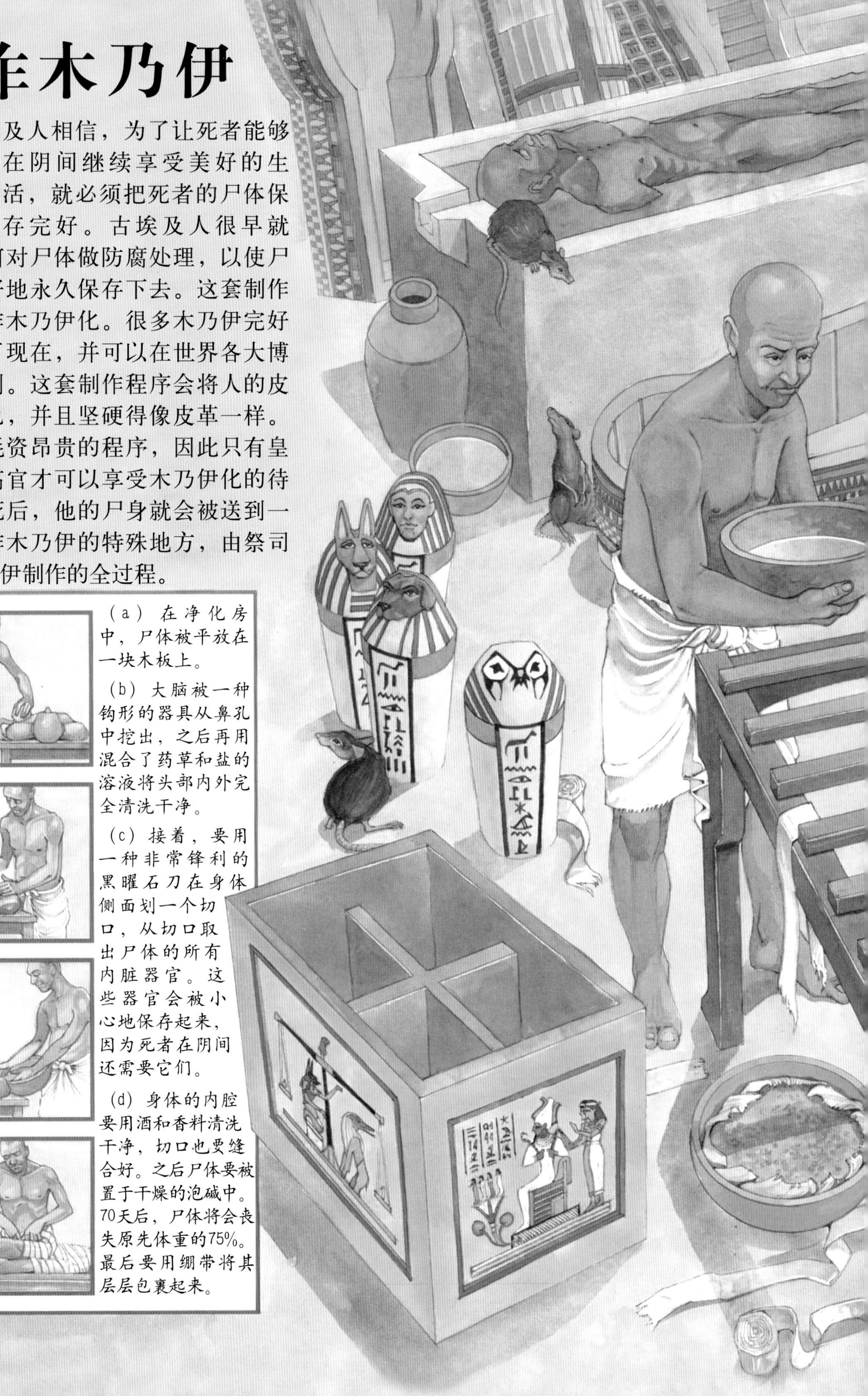

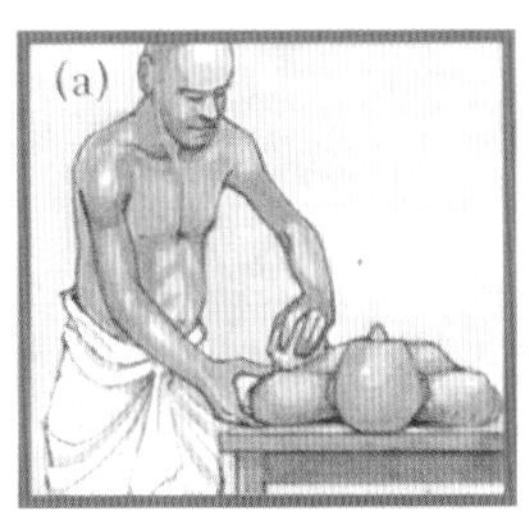

(a) 在净化房中，尸体被平放在一块木板上。

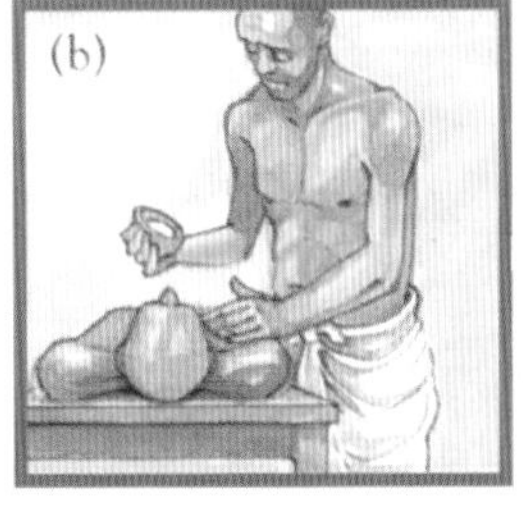

(b) 大脑被一种钩形的器具从鼻孔中挖出，之后再用混合了药草和盐的溶液将头部内外完全清洗干净。

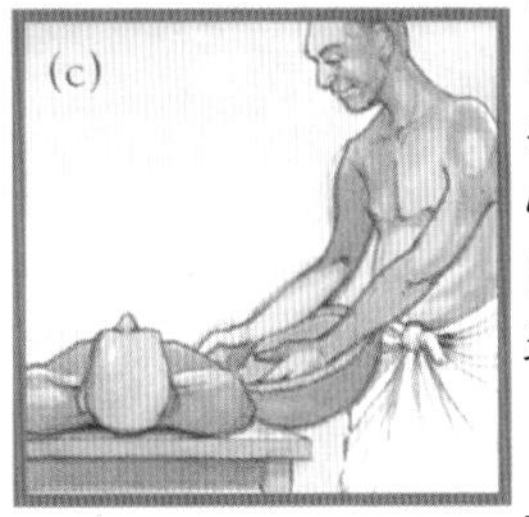

(c) 接着，要用一种非常锋利的黑曜石刀在身体侧面划一个切口，从切口取出尸体的所有内脏器官。这些器官会被小心地保存起来，因为死者在阴间还需要它们。

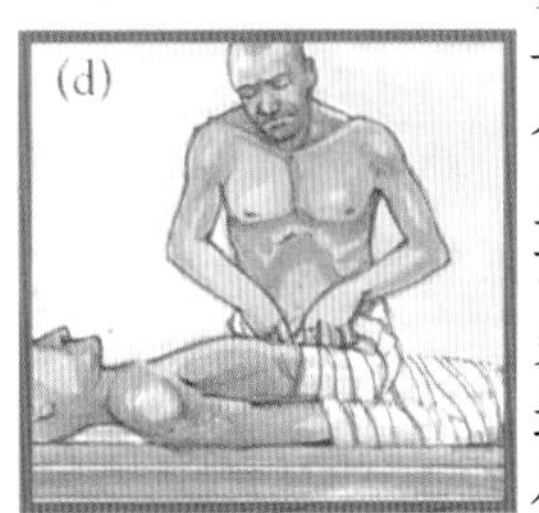

(d) 身体的内腔要用酒和香料清洗干净，切口也要缝合好。之后尸体要被置于干燥的泡碱中。70天后，尸体将会丧失原先体重的75%。最后要用绷带将其层层包裹起来。

法老的尸体被安放在一口圣骨匣中。人们把圣骨匣抬到法老的驳船上运过河去，再经由举行仪式用的堤道庄重地抬到法老的灵堂。

皇家葬礼

尸体被层层的绷带包裹好之后就被放进一口特殊的木棺中。木棺的形状与木乃伊相同，棺盖雕饰精美。有时这口木棺还会被放进另外两到三口木棺中，之后再被放入一口大大的石棺中。已经经过干燥、漂洗和包裹的内脏器官，则会被放入叫做醯瓶的特殊罐子中。然后，四个醯瓶再被放入分为四格的醯箱中。首席防腐师装扮成阴间的豺首人身神——阿努比斯，监管着每一个程序。

灵堂上，人们正在为已故法老即将开始的最后旅程作准备。法老的眼睛、耳朵、鼻子和嘴会通过特殊的工具被打开，这样他就能够在阴间视物、倾听、呼吸和进食了。灵堂中的神龛里还摆放着一尊已故法老的雕像。这里只有高等祭司才能进入。

中美洲金字塔

埃及金字塔建成大约2500年后，在世界的另一端也建造出了金字塔。它们是由中美洲的土著居民——秘鲁的印加人、墨西哥北部的阿兹特克人，以及现在的洪都拉斯和危地马拉的玛雅人建造的。当西班牙侵略者征服中美洲时，他们摧毁了土著居民的统治，湮灭了土著居民的文明。西班牙人当时就发现了这些金字塔，却不知道它们是为何而修建的。它们就这样被弃置了超过150年之久，在漫长的岁月中，参天大树早已把它们包围起来。19世纪，当它们再次被发现时，我们已经对建立它们的早期文明有了很多的了解。玛雅的大城市奇琴伊察市内的金字塔建于公元1100年左右，是在一座100年前的早期金字塔的基础上修建而成的。在前一座金字塔内有一尊美洲虎的雕像——美洲虎被中美洲人像神灵一样崇拜着。

上图中是中美洲有名的三座金字塔的所在地：埃托瓦、特诺兹提朗和奇琴伊察。特诺兹提朗（现在的墨西哥城）是古代阿兹特克的首都。

奇琴伊察城内的主金字塔名为卡斯蒂洛（右图），塔顶有一座神殿。

特诺兹提朗城（右图）的大神庙是一座建造在平台上的阶梯金字塔。塔的一侧是双排的台阶，通往大约30米高的两座神殿。这两座神殿是献给阿兹特克的神灵特拉洛克（雨神和富饶之神）和惠齐洛波契特利（蓝色蜂鸟之意，是该城市的战神）的。

整座神庙被涂以明亮的颜色，并有雕像做装饰。神殿外墙上饰以很多丑陋的木质怪物雕像。殿内是神灵们的塑像。特拉洛克半身为人，半身是鳄鱼，而惠齐洛波契特利的身上则覆盖着黄金和宝石。

阿兹特克人信奉活人祭祀，每年都会定期在大神庙举行这种残忍的仪式。作为祭品的不幸者会被赶上巨大的台阶，来到神殿前的平台上。在祭台上，祭司们将他们的胸膛剖开，把他们的心脏献给神灵。阿兹特克人相信，作为回报，神灵们会给他们带来充沛的雨水和丰富的食物，还会保佑他们在战斗中获胜。

埃托瓦城（下图）在公元1200年左右达到了鼎盛。它当时已经强大到可以和北到大湖区，南至墨西哥湾的广大地区通商贸易。城市的强大可以通过其雄伟的宫殿和神庙得到完美地体现。埃托瓦城的神庙是由烧制的泥土建成的巨大金字塔形平台，顶部坐落着一座神祠，有一道由泥砖砌成的阶梯通往上面的平台。

通往卡斯蒂洛金字塔（左图）中心的每侧阶梯都有91级台阶。如果算上金字塔入口处的1级台阶，则总共有365级台阶——相当于一年中的天数。

塔达玛吉神庙（下图）位于缅甸中部伊洛瓦底江上的蒲甘城。蒲甘城曾是一座大城市，然而现在只是一个村庄。公元849年到1287年间，该城作为古缅甸的首都极尽繁华。城内有众多的佛教寺庙，以及皇宫、礼堂和图书馆等。这些宏伟建筑的墙上有许多精雕细刻的壁画或精美的浮雕，倾斜或平坦的屋顶有时也会被精心装饰。

塔达玛吉神庙是国王拿勒胡建造的。他残忍地杀害了自己的父亲、兄弟和兄弟的妻子，夺取了王位。因为受到良心的谴责，他建造了这座神庙以弥补自己的罪行。不幸的是，为了防止人们以后再修建出像塔达玛吉神庙这样精美的神庙，国王又杀死了神庙的建筑师。这样看来，国王拿勒胡只统治了短短的5年时间（即1169年~1174年）也并不奇怪。

这座神庙修建在一块四方形的地基上，四角的柱子完全相同。神庙的前部有一道拱形入口，两边各有一座神祠，装饰得与边角的柱子一样。神庙上方有一块两层楼高的凸起平台，上面还有一座神祠。神祠后面是一座阶梯形金字塔，顶端是一座圆钟状的佛塔。神庙是用在炉窑内烧的砖建造的，因此神庙就像被上了一层釉彩，而且十分坚固。

亚洲金字塔

亚洲地区有上千座佛教的庙宇。公元前6世纪，乔达摩·悉达多（释迦牟尼）出生在尼泊尔的山脚下。那时候，大多数人都认为如果一个人出身贫寒或遭遇不幸，他就不配接受教育，还要永远生活在困苦和无知之中。释迦牟尼否定了这种人的命运由神来决定而不能改变的观念。很快，他就在从农民到国王的各个社会阶层中都拥有了大量的信徒。

释迦牟尼涅槃时将他的事业传给了他的继承者，那位继承者后来又指定了另一位继承者，佛教就这样慢慢地发展起来了。佛教徒们信奉佛法，主张非暴力和人们之间的互相尊重。

爪哇中部的波罗巴度神庙（下图）修建于公元800年左右。我们不知道修建它的国王的名字，但可以肯定他生活在一个富庶强大的时代。这是一座歌颂佛教信仰的神庙，由一百多万块深灰色的火山石修建而成，基座有121平方米。神庙由用八层阶梯连接的平台组成，最上面一层有一座巨大的高达30米的钟形佛塔。前五层平台为正方形，周围有一圈走廊，每一层都雕刻着精美的图案。上面三层为环形，共矗立着72座小佛塔，每座佛塔都有一个石质的外罩。整座建筑物中没有房屋。如果从底部往上看，前五层平台看上去就像一座阶梯形金字塔。

72座小佛塔中每一座里都有一尊正在打坐的大佛像（右图）。佛像展示的是佛的典型坐姿，两腿盘起，双手平放在膝盖上，表明他并不追求世间的财富。他平静的面容显示出佛的慈悲和自我牺牲的精神。

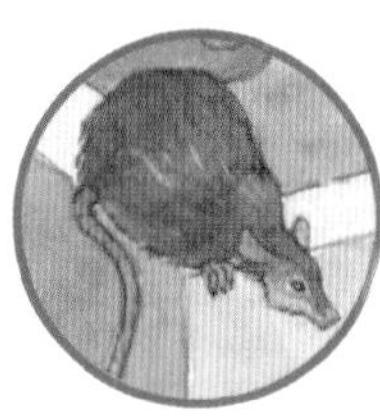

词汇表

金字形神塔
美索不达米亚的神塔，形似梯形金字塔，塔顶有奉献给某位神灵的神殿。它有着矩形的地基和三层台阶。

方尖碑
一种通常矗立在神庙之外、又高又尖的石质纪念建筑。将石材从坚硬的岩石层上切割下来，再竖着搭起来，这对现代的机械来说都不是一件易事——埃及古物学者们至今仍不清楚古埃及人是如何成功做到以上这些的。

美索不达米亚
“两河之间”的意思。这个词描述的是现在的伊拉克地区。在古代，夹在底格里斯河和幼发拉底河之间的这块土地被称为巴比伦王国和亚述王国。

王朝
相互联系的统治者的家庭或族群。埃及从第一位国王美尼斯到最后一位国王亚历山大大帝共有31个王朝。大金字塔建于第四王朝。

斜纹石椁
在阿拉伯语中为“平台”之意，用来描述一种古埃及的坟墓。斜纹石椁有斜坡，底部比顶部的面积要大。

维西尔
古埃及皇家宫廷中的最高官员之一。

铅垂线
一根线绳，末端拴着一块石头或铅坠。将其自由悬垂，它就会拉出一条真正的垂直线。

穴鸟隼
一种古代的天文测量工具。古埃及人利用穴鸟隼将金字塔的四角精确地定位在东、南、西、北四个方向上。

顶角锥
金字塔顶部的尖顶石块。顶角锥通常都做过镀金处理，可以反射日光。古埃及人称其为本本石。

条纹大理岩
一种精细、半透明并且有纹理的坚硬石灰石，古埃及人用来制作花瓶、石灯、雕像和神庙等。

斯芬克斯
古埃及神话中的一种狮身人面的怪物。它有着最聪明的头脑和最强壮的身躯，因此本领非凡。古埃及的斯芬克斯形象几乎都是雄性的。

象形文字
古埃及的文字系统，由代表声音的图画组成。如一只猫头鹰代表字母M，一张嘴代表字母R，一道水纹代表字母N。它们的书写方式既有水平式的，又有垂直式的。

木乃伊化
古埃及人对尸体进行防腐处理，以使尸体能够长久保存的方法和程序。他们相信，只要死者的尸体保存完好，死者就能够在阴间继续生活。

黑曜石
一种深色、玻璃状的火山石。

泡碱
一种盐的化学混合物，古埃及人在制作木乃伊的净化仪式中会用到它。它还可以用于制作肥皂和牙膏。

护身符
一种死者身上佩戴的小饰物，在阴间为其提供庇护。它们经常被放置在木乃伊的绷带中，样式繁多。有一些护身符还具有特殊的作用，如佩戴狮子护身符可以获得勇气等。

醢瓶
一种石质或陶质的罐子，瓶塞是人类或动物头部的形象。它们用于储存木乃伊的肝脏、肺、胃和其他身体器管。醢瓶封口后会被放入醢箱，醢箱分为四格，可以容纳四个醢瓶。

阿努比斯
古代埃及的豺首人身的冥界之神，与防腐和制作木乃伊有关。

石棺
在埃及古物学中指套在一层或多层木棺外边的一层石棺。有些石棺体积非常庞大，内外都有雕饰。

佛法
佛教徒的行为准则。

埃及古物学
研究古代埃及文明和语言的学科。研究埃及古物学的人被称为埃及古物学者。

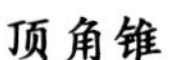

有关金字塔的常识

在古埃及的词汇中，金字塔被称为“摩尔”。我们所使用的“金字塔”一词来源于希腊词汇“锥体”，当时是指一种小麦蛋糕，估计形状与金字塔相似。

埃及第四王朝的法老斯诺费鲁是第一位尝试建造真正金字塔的法老。最初他准备建造一座七级的金字塔，后来又决定改建为八级。当决定建造真正的金字塔时，人们才发现当初工人们把砖石打磨得过于光滑，以致无法承载用来填充的石块。最外面的一层石块铺好后不久，金字塔下面的四级就坍塌了，从而导致整个墙面下滑坍塌。现在，金字塔那高高的阶梯中心还屹立在吉萨以南60千米处的梅顿，周围则是一大堆碎石。

法老斯诺费鲁后来又在距吉萨以南20千米的一个叫做代赫舒尔的地方做了一番尝试。这次所建的金字塔就是我们所熟知的弯曲金字塔，原因是在建到一半的时候更改了外墙倾斜的角度，这样就使得上半部与基座相比显得有些“矮胖”。它本应达到128米的高度，但最后只建了105米高。很显然斯诺费鲁对这座金字塔不甚满意，最后终于在这座塔以北2千米的地方修建了一座真正的金字塔——红色金字塔。

玛雅的奇琴伊察市内的卡斯蒂洛金字塔，基座有55平方米，高30米。这和埃及吉萨的胡夫大金字塔相比还算小的。大金字塔的基座有230平方米，高达146米。

埃及第三王朝的第一位统治者是法老卓瑟。他的建筑师和维西尔伊姆贺特普在塞加拉建造了斯泰普金字塔。

尼罗河过去曾经每年泛滥一次，被称为洪水期，时间在6月到9月之间。在此期间非洲的埃塞俄比亚高原上正值夏天的强降雨期，青尼罗河和白尼罗河的河水水位暴涨，从而导致了尼罗河的泛滥。河水冲出堤岸淹没了整个尼罗河谷地，却给埃及人带来了肥沃的泥土，埃及人可以在上面种植大量农作物。自从1971年阿斯旺大坝建成后，尼罗河就不再有每年一度的洪水期了。

法老胡夫（也被称为基奥普斯）建造了著名的吉萨大金字塔。他是第四王朝的第二位统治者，也是一位有名的暴君。

法老哈夫拉（也被称为切夫伦）是第四王朝的第四位统治者。他修建了吉萨的第二座金字塔。哈夫拉很可能也是斯芬克斯雕像的建造者，因为雕像的面容与其有明显的相似之处。

法老门卡乌拉（或称米塞里诺斯）是哈夫拉的儿子，胡夫的曾孙。门卡乌拉建造了吉萨大金字塔中的第三座也是最小的一座——神圣金字塔。

一些金字塔的墓室中书写着八百条有关死者的符咒。这些“金字塔文”为的是保护法老在阴间不受伤害。

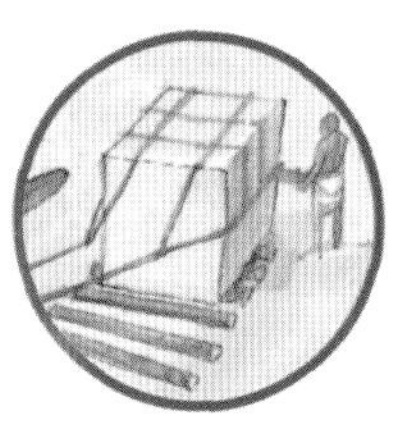

尼罗河全长6671千米，是世界上最长的河流。古希腊历史学家希罗多德曾称埃及为“尼罗河的礼物”。的确，如果没有尼罗河的河水，就不可能出现古埃及文明。

玛雅人建造了许多阶梯金字塔，包括洪都拉斯的科班金字塔和位于尤卡坦半岛乌克斯摩尔的椭圆形大金字塔。危地马拉的蒂卡尔金字塔是一座有着砖脚外层的十级石头建筑。阿兹特克的特奥蒂瓦坎内有两座金字塔：太阳金字塔和月亮金字塔，它们都是阶梯建筑，顶部建有神庙。在墨西哥城北部35千米的图拉，托尔特克神庙在其宏大的阶梯基座上立着四根战士支柱。

20世纪，神秘的埃及金字塔吸引了众多新的爱好者。他们相信各种有关金字塔力量的神奇传说。例如，他们相信如果你前一天晚上将一把钝刀放在一个金字塔形物体的下面，到早上刀子就会变得锋利。而埃及古物学者并不认真对待这些说法。很多雄心勃勃的金字塔迷希望在吉萨的大金字塔中度过一个夜晚，并作好了为此花费大笔金钱的准备。有些人说，有过那种经历之后感觉完全不一样了。

木乃伊

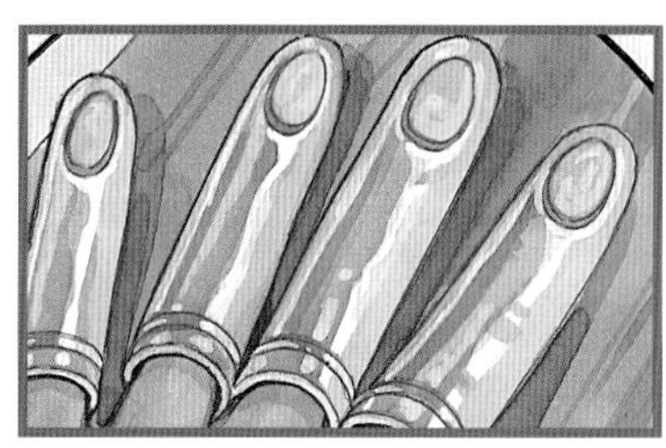

作　者：[英] 亨丽埃塔·麦考尔

绘　者：[英] 戴维·安特拉姆

译　者：施　伟

古代埃及

古代埃及的疆域被分为两部分：黑土地和红土地。黑土地被埃及人称为“凯梅特”，是指尼罗河沿岸肥沃的土地。这里土地的肥沃得益于每年7月到9月的大洪水。在此期间，尼罗河水不断上涨，最后终于漫过了堤岸，这些富含养分的泥水淹没了附近的农田，将土地变成了黑色，农民们来年就可以在这片土地上种植小麦、大麦和蔬菜了。有时，河水没有泛滥到陆地上，就会有大量的人和牲畜死于饥荒。红土地在埃及语中被称为“德施莱特”，意思是作物无法生长的不毛之地。这里是人们用来采石建造宏伟的神庙和陵墓的地方，也是富含绿松石、孔雀石和黄金的矿区。

休是光明之神，他的儿子盖布是大地之神，女儿努特是天空之神。古埃及人认为努特在晚上吞掉了太阳。在夜晚，太阳在努特的身体里运行，到清晨时，再从努特的身体中出生。努特在画中经常是弓着身子的形象，她看上去就像是平坦的大地上空的天穹(上图)。

古埃及的每位法老(即国王)通常都有多位王妃，而其中最重要的一位被称为王后。她通常是未来法老的母亲，但也可能是法老最宠爱的王妃。现任法老的母亲在王宫中的地位也非常重要，因为是她赋予了法老生命。

丧葬

有些人认为古埃及人对死亡有着一种情结。事实上恰好相反。他们对秩序井然、富饶美丽的埃及大地上的生活非常享受，以至于他们想永远这样生活下去。当然这是不可能的，所以他们希望自己的来生或是阴间的生活，即使不比在人间的生活强，也要与其一样舒适。

古埃及人相信每个人的灵魂都分为两部分：巴——代表人的灵魂，卡——代表人的生命力。人死后，卡依然依附在其肉身上，因此对肉体的保存是非常重要的。这需要通过被称为木乃伊化的一系列复杂程序来达到。

只有富人死后才能被木乃伊化，穷人一般被埋在挖好的沙坑里。因为埃及气候炎热干燥，尸体经常会自然地形成干尸。身体中的液体会渗进炎热的沙土中，躯体风干后皮肤就会变得坚硬，像皮革一样包裹着骨骼。尸体旁边一般还会放置罐子或饰珠等陪葬品。

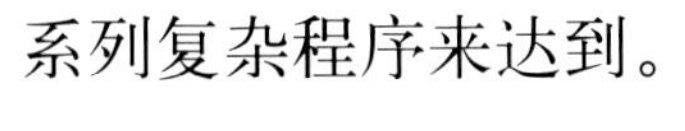

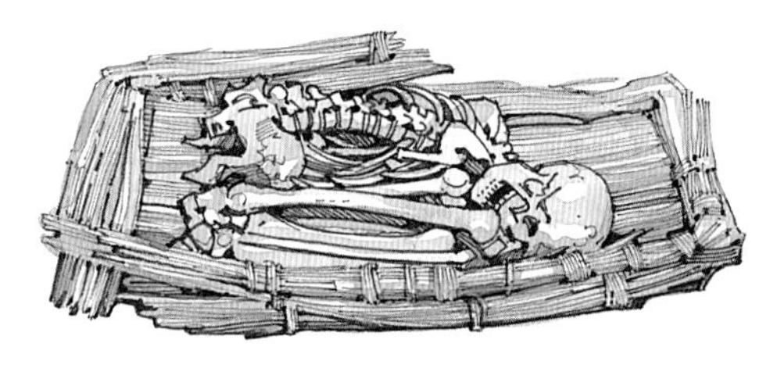

每一个埃及村落都有自己的墓地，或死者之城，埃及古物学者称其为“公墓”。平民们都被安葬在那里，通常还有黄金首饰、武器或雕刻精美的陶器陪葬。上图中就是一口芦苇棺材。

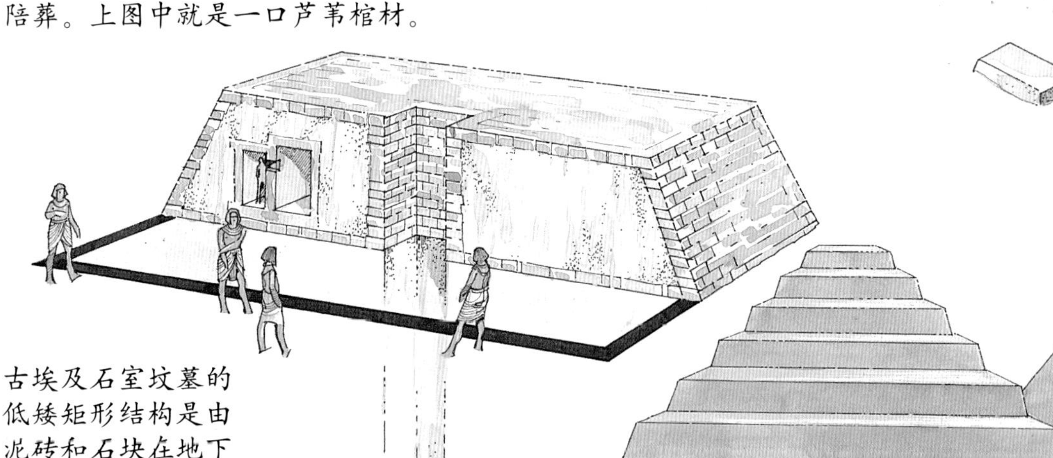

古埃及石室坟墓的低矮矩形结构是由泥砖和石块在地下墓室的上方建成的。墓室的墙上经常绘有死者日常生活的场景，墓室内还有很多陪葬品供其死后享用。

阶梯金字塔　　*弯曲金字塔*

埃及法老被安葬在金字塔中。已知最早的金字塔是位于萨卡拉的阶梯金字塔(上左图)。它一共有六阶，每一阶都比下面的一阶要小。公元前 2611 年，法老卓瑟被埋葬于此。大约 60 年后，埃及人学会了如何建造真正的金字塔。他们通过填充石块将“阶梯”填平，当然有时候也会出现问题。在弯曲金字塔(上右图）修建到一半时，设计师决定更改建筑角度，因此塔的上半部分比底部更加向内倾斜。

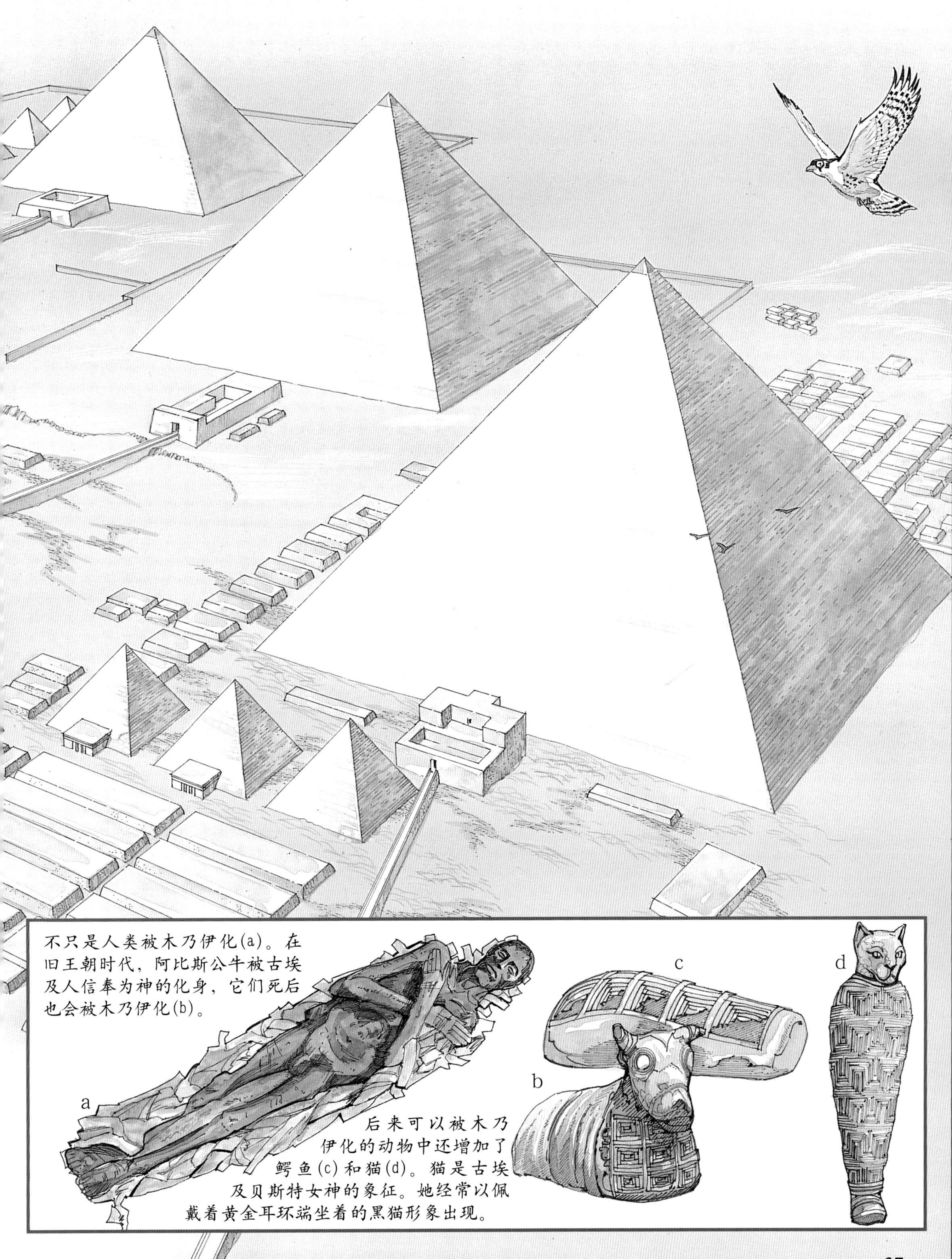

不只是人类被木乃伊化(a)。在旧王朝时代，阿比斯公牛被古埃及人信奉为神的化身，它们死后也会被木乃伊化(b)。

后来可以被木乃伊化的动物中还增加了鳄鱼(c)和猫(d)。猫是古埃及贝斯特女神的象征。她经常以佩戴着黄金耳环端坐着的黑猫形象出现。

制作木乃伊的准备工作

埃及是一个非常炎热的国家，因此人死之后，尸体要立即被带走进行木乃伊化。整个程序需要70天的时间。首先，大脑被一把铁钩从鼻孔中掏出。之后是切开腹部取出所有的内脏器官，包括肺和肠胃。然后分别用棕榈酒以及水和五味粉的混合液彻底清洗尸体。当尸体被洗净之后，再填充进芳香的药草和香料，最后将切口缝合好。

尸体被浸浴在一种叫做泡碱的盐中，它会慢慢风干。40天后，尸体的皮肤看上去就会像皮革一样。然后尸体会被涂上油，并对必要地方进行填充，以使其看上去栩栩如生，再用亚麻布绷带将躯体从头到脚包裹起来。绷带下面的一些特定位置放有护身符，最后是给头部戴上面具。

这幅古埃及的壁画显示的是祭司正在清洗尸体的场景，他们把水从尸体的头上往下倾倒(上图)。清洗完毕之后，尸体会被平放在一张卧榻上(下图)。然后祭司会装扮成长着豺狼头的冥界之神阿努比斯的模样，诵念咒语。

防腐师在处理一具刚刚死去的人的尸体，正在将其内脏器官取出(上图)。有时这些器官会被扔到河里或是被埋掉，不过重要木乃伊的内脏都被保存在一种叫做醢瓶的特殊容器中。醢瓶会随着木乃伊一同下葬。

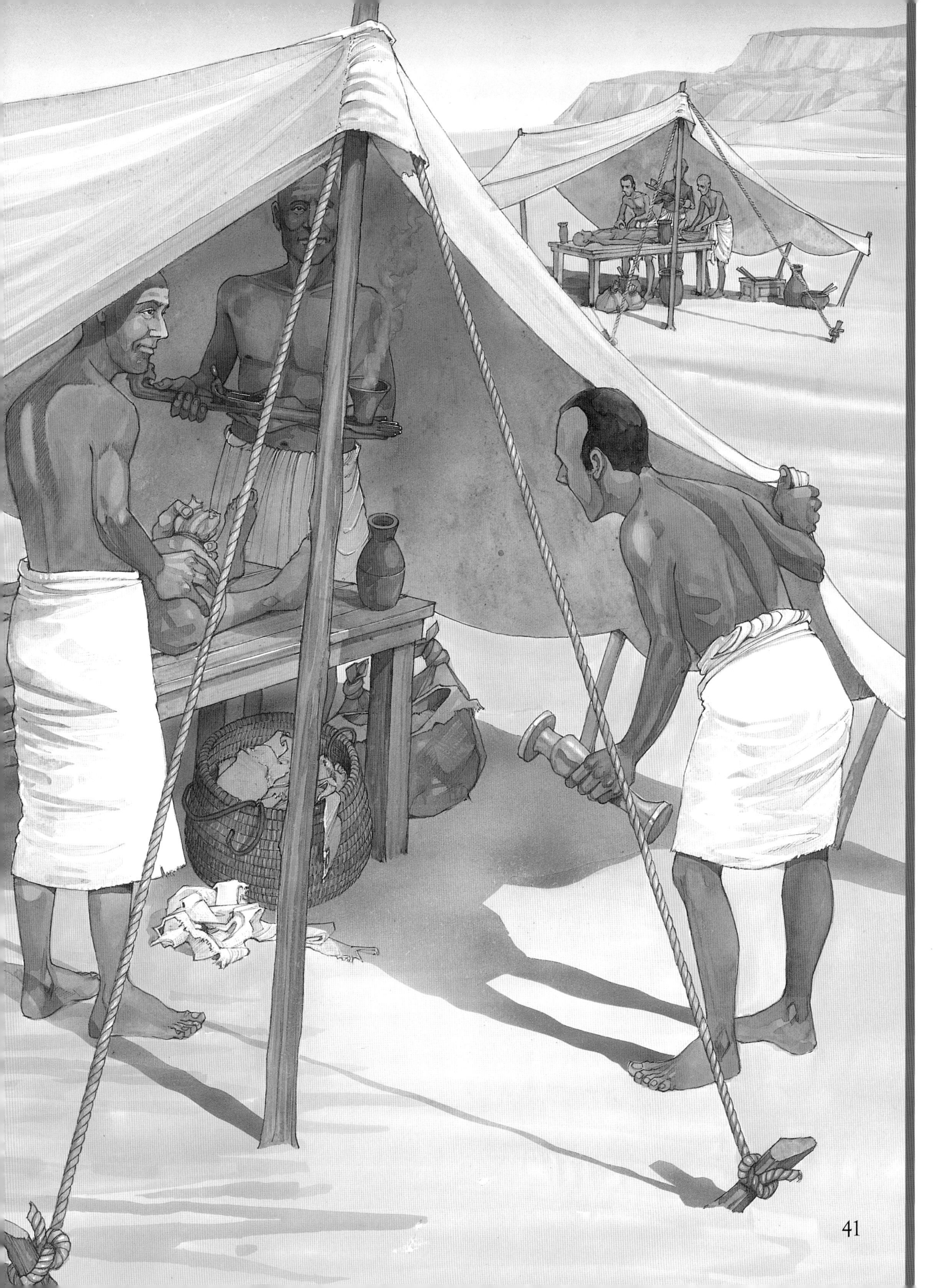

包裹木乃伊

防腐师将尸体处理完毕后，就把它交给祭司们用亚麻布仔细包裹起来。制作亚麻布的原料——亚麻在埃及世世代代都有种植。然而，亚麻布在当时是一种昂贵的材料，因此有些木乃伊用的是经过回收利用的亚麻布条。很多时候，死者生前穿过的衣服也会被撕开用来包裹木乃伊。后来，人们便编织一种特殊的亚麻布单，将其撕开后做成包裹用的布条。

在包裹的过程中，祭司们还要念诵咒语。后期制作的一些木乃伊在包裹的布条上就直接写上了咒语。护身符会被放置在特别指定的地方以保护木乃伊不受恶灵的侵犯。

制作精细的木乃伊的手指和脚趾会被单独包裹起来。埃及古物学者们通过法老图坦卡蒙的木乃伊了解到，皇室成员的木乃伊的手指和脚趾都戴着特殊的黄金指(趾)套。这些手指套或脚趾套上还画上了精美的手指甲和脚趾甲的圈画。图坦卡蒙还穿着脚趾部位卷起来的黄金凉鞋，一根鞋带从大脚趾和旁边的脚趾间穿过。

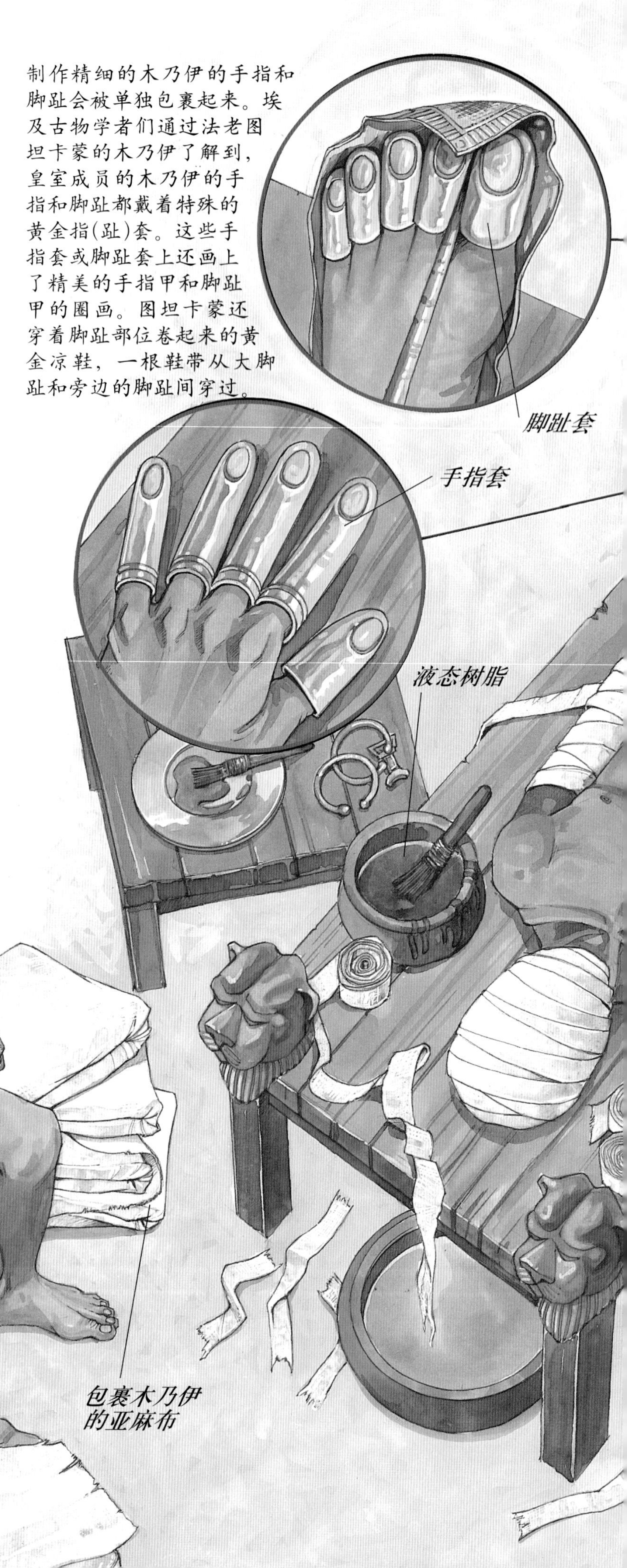

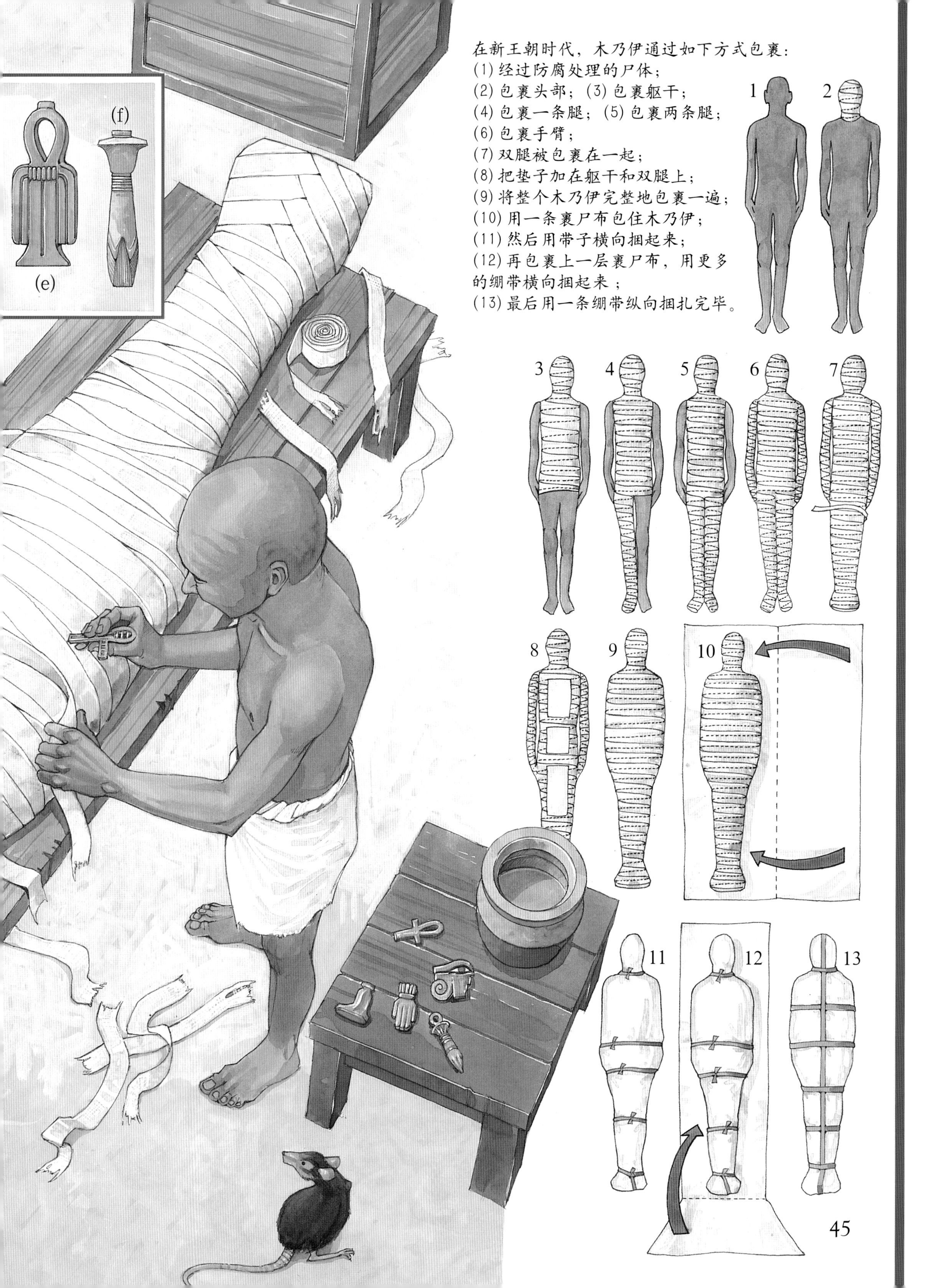
在新王朝时代，木乃伊通过如下方式包裹：
(1) 经过防腐处理的尸体；
(2) 包裹头部；(3) 包裹躯干；
(4) 包裹一条腿；(5) 包裹两条腿；
(6) 包裹手臂；
(7) 双腿被包裹在一起；
(8) 把垫子加在躯干和双腿上；
(9) 将整个木乃伊完整地包裹一遍；
(10) 用一条裹尸布包住木乃伊；
(11) 然后用带子横向捆起来；
(12) 再包裹上一层裹尸布，用更多的绷带横向捆起来；
(13) 最后用一条绷带纵向捆扎完毕。
(e)
(f)
1
2
3
4
5
6
7
8
9
10
11
12
13

木乃伊的棺木

在旧王朝时代，棺木一般都是矩形的木制盒子，上面刻着简单的一行字迹：在阴间索取食物。有时还在上面画上一双眼睛，这样木乃伊就可以睁开眼睛看见事物了。

后期的棺木颜色更加明亮。棺内刻有咒文，棺外装饰精美。矩形棺木逐渐被摒弃，人形棺木——外形像人体的木制盒子，开始流行。这些棺木有的做工非常精细，颜色也多姿多彩。在简单的葬礼中，木乃伊被放置在人形棺木中，然后再搁进一口大的石棺里。皇家的葬礼则需要数口雕刻精美的人形棺木一口套着一口地放入石棺中。

这是少年法老图坦卡蒙的金面具(上图)，据说和他本人极为相似。面具由黄金锻造而成，镶嵌了许多珍贵的宝石，并涂有彩色的玻璃浆。法老前额的蛇形标记代表了上埃及和下埃及两块领土，这和他下巴上的假胡须都是法老权力的象征。

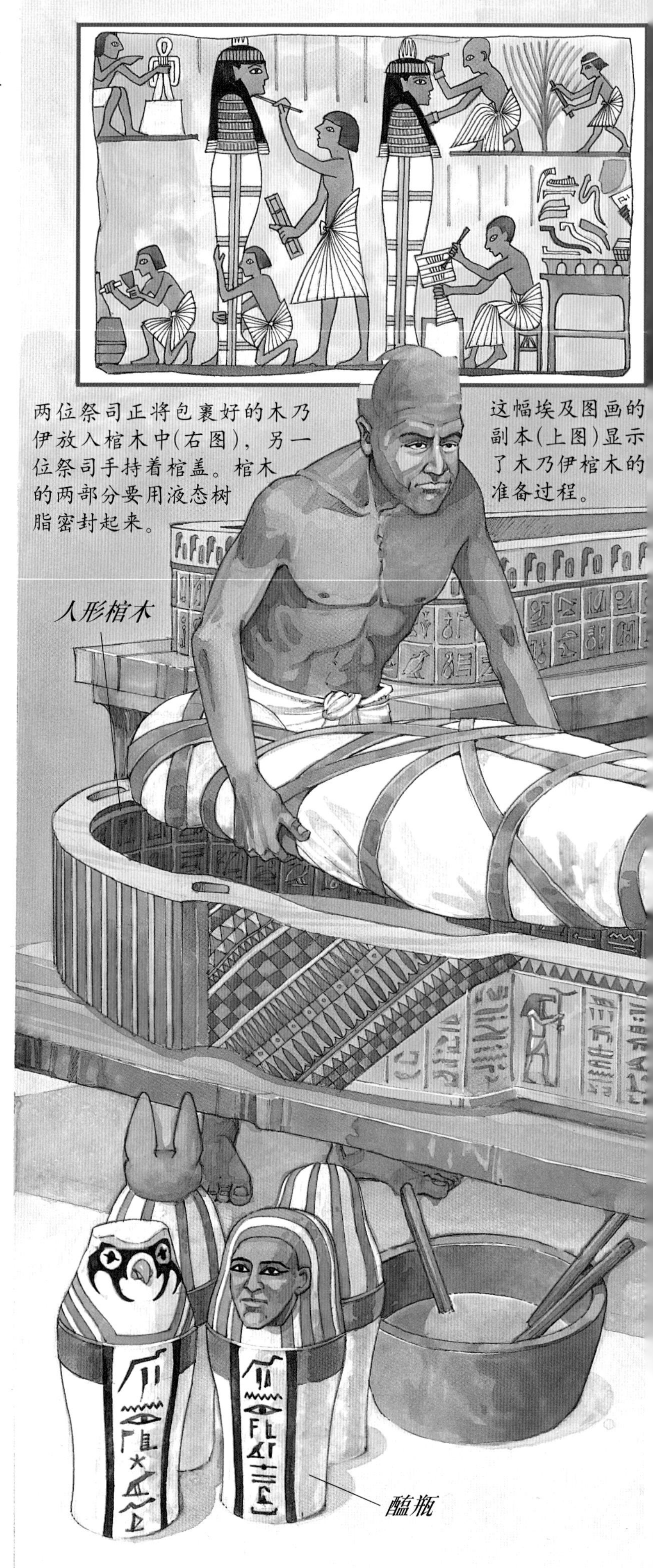

两位祭司正将包裹好的木乃伊放入棺木中(右图)，另一位祭司手持着棺盖。棺木的两部分要用液态树脂密封起来。

这幅埃及图画的副本(上图)显示了木乃伊棺木的准备过程。

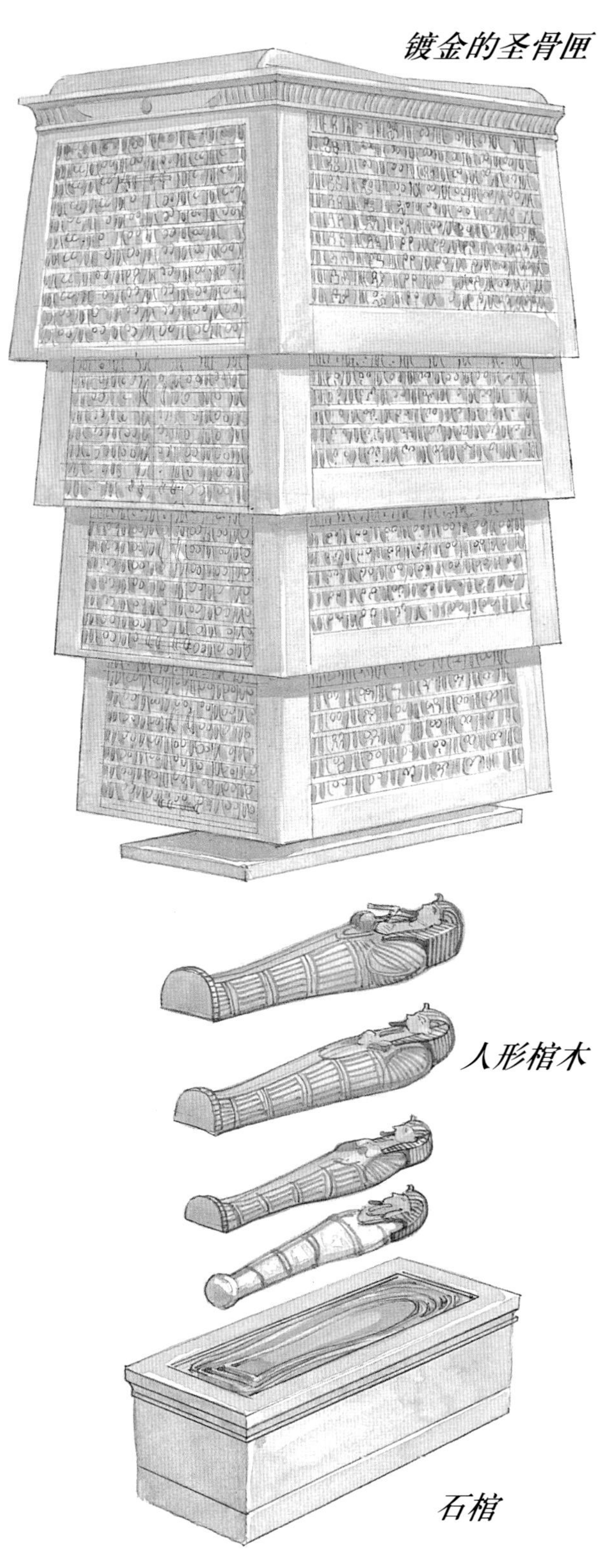

死者生前越显贵，其棺木就越多。埃及古物学者们从法老图坦卡蒙的陵墓中发现，即便是一位少年法老都有三口人形棺木，其中一口还是黄金打造的。这些棺木被放置在一口石棺中，再依次放进四层圣骨匣中。圣骨匣都是木制的，并镀金而成，装饰得极其精美。

葬礼的程序

木乃伊放入棺木中后，就可以运至埋葬地点了，巨大的石棺正等在那里。陵墓已经建好，一切准备就绪。死者在阴间所需的用品也已备妥，包括食物、饮品、衣物、家具、珠宝、车舆，甚至仆人。“仆人”其实是小型的人形陶俑，称为乌萨布提。古埃及人相信它们可以在阴间充当死者的仆人，从事艰苦的劳动，如耕种谷物等。有些陵墓中有数百个乌萨布提。它们通常都釉着明亮的蓝色，并镌刻着《亡灵书》上的咒语，以便接受召唤为主人服务。

随着葬礼的进程到达河岸，越来越多的人加入了送葬的行列，直到形成庞大的队伍。死者的亲友和邻居们偶尔也会带一些物品放入陵墓中(上图)。

船正在向对岸划去(上图)，哀悼者们一边恸哭一边唱着哀伤的歌。到达对岸后，圣骨匣被从船上卸下来，放在一条滑橇上用公牛拉到陵墓。到达陵墓后，棺木会被从圣骨匣中取出，直立着放置在一堵墓墙之中。祭司们就在棺木前开始丧葬仪式。

古埃及人的寿命很短，大多数人都未到中年就去世了，因此葬礼也就成为了日常生活的一部分。在一些大的城镇和乡村中还有一些职业的哀悼者——通常是女性——她们会加入葬礼的程序(上图)，并身着蓝色衣服表示哀悼。

棺木先被放置在一口开放的圣骨匣中，然后放在一艘纸莎草船上(下图)。船在一条滑橇上被从木乃伊的加工场所拉至死者的家中，让死者的家属可以陪伴死者走完这段最后的旅程。之后，船会被拉到河边。埋葬地点在尼罗河的西岸，因为西方被认为是神圣的。

开口仪式

最重要的葬礼仪式是“开口仪式”(上图)。为了使死者在阴间能够吃饭喝水，必须要用魔法将他的嘴打开。另外还需要为其开鼻呼吸、开耳倾听和开眼视物。这些仪式需要特殊的法器。一般是用燧石刀作法器，不过有时也会用公牛的右腿骨代替。仪式一般由死者的长子或继承人主持。

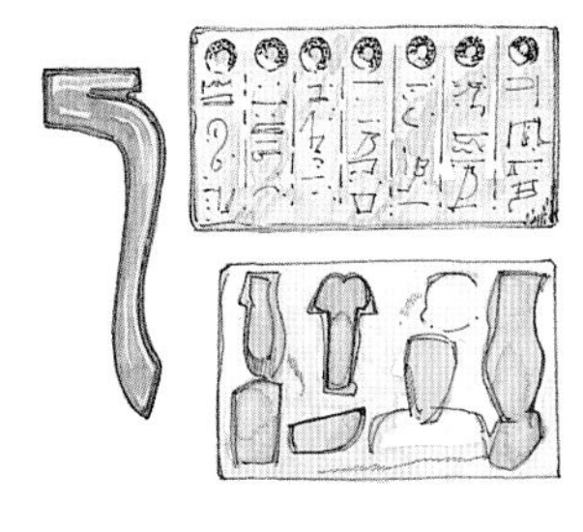

开口仪式的法器

真实之羽

木乃伊到达阴间后，要在死神奥西里斯面前接受一次最后的审判。死者的心脏要被放在天平上和真理与正义女神玛特的羽毛一起称量(左图)。死者必须在42名法官面前发誓生前未做过错事。通过测试之后死者才可以带着“真实之声”的称号进入阴间生活。

墓葬的陪葬品

很少有古代埃及的坟墓可以完整地保存至今。皇家陵墓中到现代唯一未被破坏过的就是法老图坦卡蒙的陵墓，埃及古物学者们从中发现了大量陪葬品，特别是皇家的墓葬。

1922 年 11月，在图坦卡蒙陵墓被发现之后，霍华德·卡特和他的专家组在墓穴中发现了一大批宝藏。墓穴中有四间墓室，其中一间墓室放置了四口圣骨匣，匣中还有石棺，另外三间则堆满了各式奇珍异宝。单单在一间墓室里，他们就发现了 171 种不同的物品和家具，还有 4 部战车和 1 只铜喇叭。

阿努比斯雕像

主管官员负责在陵墓中指导陪葬品的摆放。箱子里装有用亚麻布包裹的珠宝、衣物、骑马用的手套和凉鞋等。箱子是木制的，或由芦苇制成，箱盖是平的或呈拱形。有时候箱子外边还贴有用墨水写的装箱物品清单。其他物品还有陶制或石膏制的凳子、床、椅子和瓶瓶罐罐。一尊巨大的黑色阿努比斯木制雕像始终在高处注视着一切准备工作。

盗墓被认为是很严重的罪行，凡被抓到者皆判处死刑。

陪葬用的乌萨布提通常一起被放在一个特殊的木箱里(上图)。箱子外面记载着死者的名字和头衔。人们相信，在阴间，死者只要吩咐一个乌萨布提去做某件事情，它就会立刻答应。

一张芦苇编成的祭品桌上放有整篮子的食物(下图)。架子上放的是各种鸟肉，前面的篮子里盛放的则是用蜂蜜和枣制成的成条的面包和蛋糕。埃及炎热干燥的气候将这些食品保存了数千年，虽然早已经变干了，但依然完好无缺。

为了让死者在阴间能够渡河，有些时候还会将船放入墓穴(下图)。由于船体很大，无法进入陵墓，因此这些船一般都没有完工，但所有的零部件都很齐全，工匠们会在陵墓内将它们组装起来。

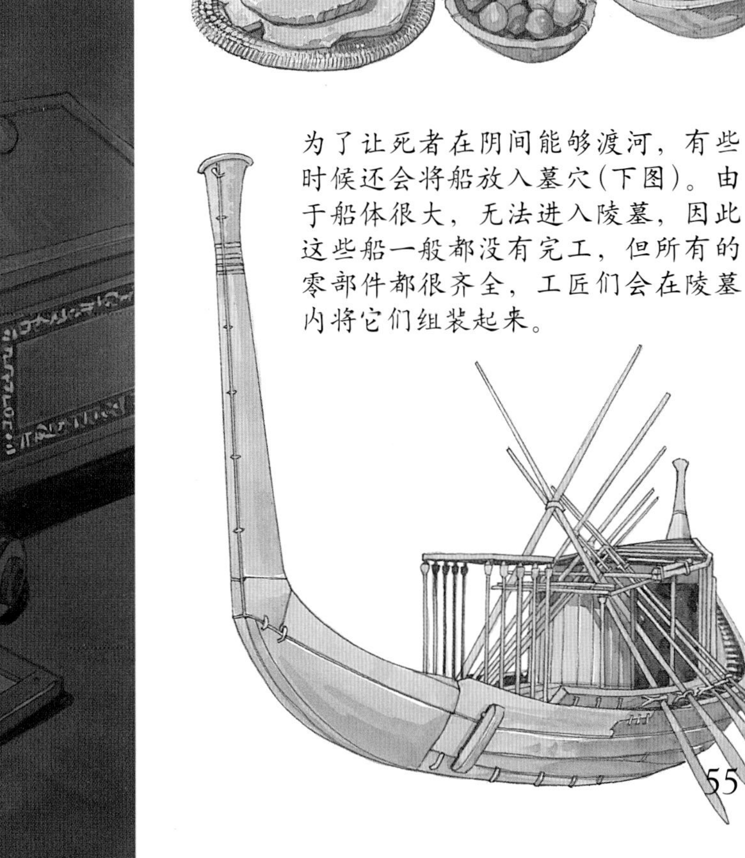

各种木乃伊

古埃及人是最早也最娴熟地将死者进行木乃伊化的民族，但他们并不是唯一这么做的人。大约在公元 200 年到 600 年，秘鲁的那斯卡人也对死者进行木乃伊处理。死者的软组织被去掉后，尸体会用棉布和石灰包裹起来。腿和手臂的肌腱也被切断，这样尸体就可以整齐地弯曲起来。然后尸体被放置在燃烧的煤块上方烤干，最后用布包裹起来葬入盛放尸体的罐中。

还有一些自然木乃伊化的尸体。1991 年，人们在阿尔卑斯山的山谷中发现了一具躺在那里已经有 5000 年的冰封男尸。人们普遍认为他是一名死于疲劳和饥饿的旅人。1972 年，人们在格陵兰北极圈的边缘发现了六个女人、一个 4 岁儿童和一个婴儿的尸体。人们认为是该地区的低温和干冷的气流将这些尸体木乃伊化了。

19 世纪中期，一次不幸的北极探险导致这支英国探险队的全体队员冻死在那里。他们的遗体在冰雪中被自然木乃伊化了。

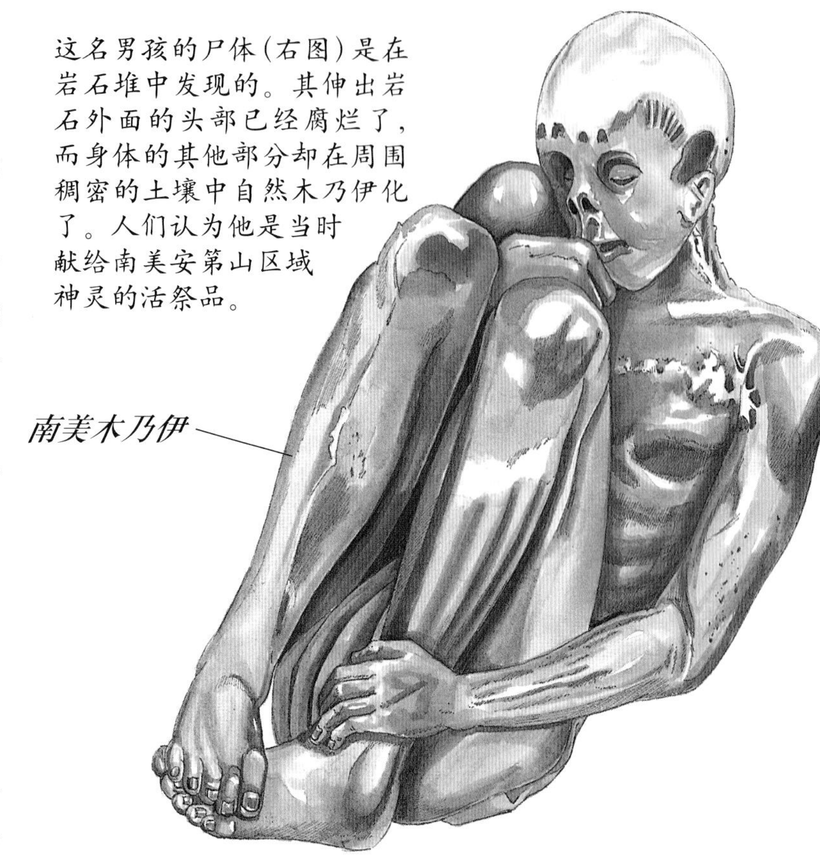

这名男孩的尸体（右图）是在岩石堆中发现的。其伸出岩石外面的头部已经腐烂了，而身体的其他部分却在周围稠密的土壤中自然木乃伊化了。人们认为他是当时献给南美安第山区域神灵的活祭品。

南美木乃伊

在格陵兰发现的木乃伊化的婴儿

在格陵兰发现的木乃伊群大约可以追溯到公元 1475 年。这个木乃伊化的婴儿（左图）大约有 6 个月大。他穿着完整的海豹皮衣服，其面部的皮肤、头发和眉毛都保存了下来。在同一墓穴中的女性木乃伊之一应该是他的母亲。这名女性木乃伊（右图）死时大约 30 岁，这可以从她没有什么磨损的手部判断出来。

印加木乃伊

这个印加男孩（左图）很可能又是一个活人祭品。他的尸体被弃置在安第斯山脉的高山上，在稀薄寒冷的空气中自然木乃伊化了。他蜷缩着身体，腿部紧贴着胸膛，编满了小辫子的头部枕在合抱在一起的手臂上。

格陵兰发现的女性木乃伊

在阿尔卑斯山谷中发现的这名年轻男子（右图）的旅行装备很完备。他带着鹿皮的箭袋和箭矢、一把燧石匕首和一把斧子。他的衣物里夹有用来防风取暖的稻草，而且他还带着食物和药品。这名男子大约死于公元前3000年。

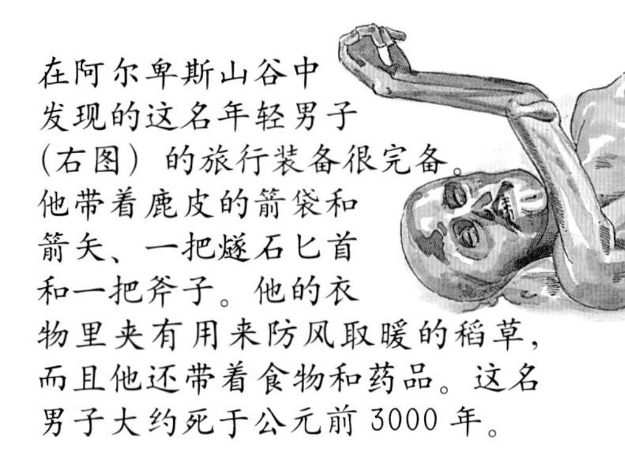

阿尔卑斯山木乃伊的双手保存得很完整。

泥炭沼泽中坚实的土壤可以天然地保存遗体——它们可以防止尸体内部的有机物氧化，并使皮肤僵硬得像皮革一样。通常尸体的面部都能完整地保存下来，看上去还很有生气。尸体在泥炭沼中可以保存2000多年，直到挖泥炭的人发现它们。在欧洲西北部已经发现了数百具“炭沼人”。他们被埋葬的时间从公元前400年到公元200年不等。其中的大部分人都死得很惨烈，很可能是被作为祭品献给了神灵。

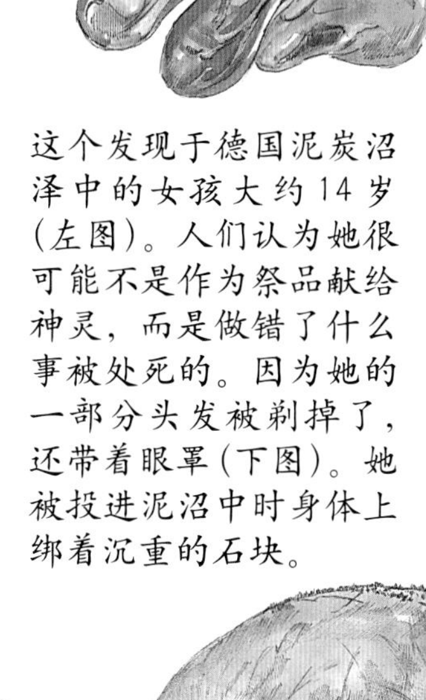

这个发现于德国泥炭沼泽中的女孩大约14岁（左图）。人们认为她很可能不是作为祭品献给神灵，而是做错了什么事被处死的。因为她的一部分头发被剃掉了，还带着眼罩（下图）。她被投进泥沼中时身体上绑着沉重的石块。

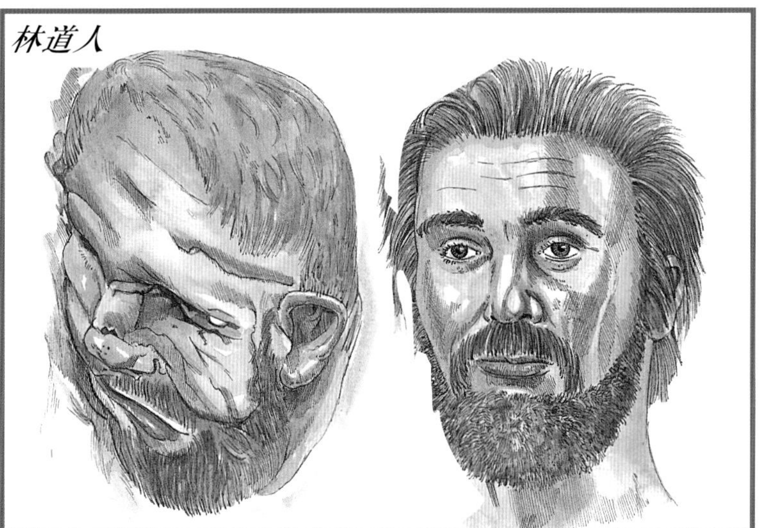

这是1984年在英国的柴郡发现的“林道人”的脸（上图）。图中是他被发现时的样子，复原后的面部图显示了他2000年前在世时的样子。头上的伤痕表明他死得很惨烈。

“图伦人”（右图）是在丹麦的图伦被发现的。他是被绞死以后作为祭品丢弃到沼泽中的。死者浑身赤裸，仅戴着一顶帽子，系着一条腰带，脖子上还系着绞死他的绳索。

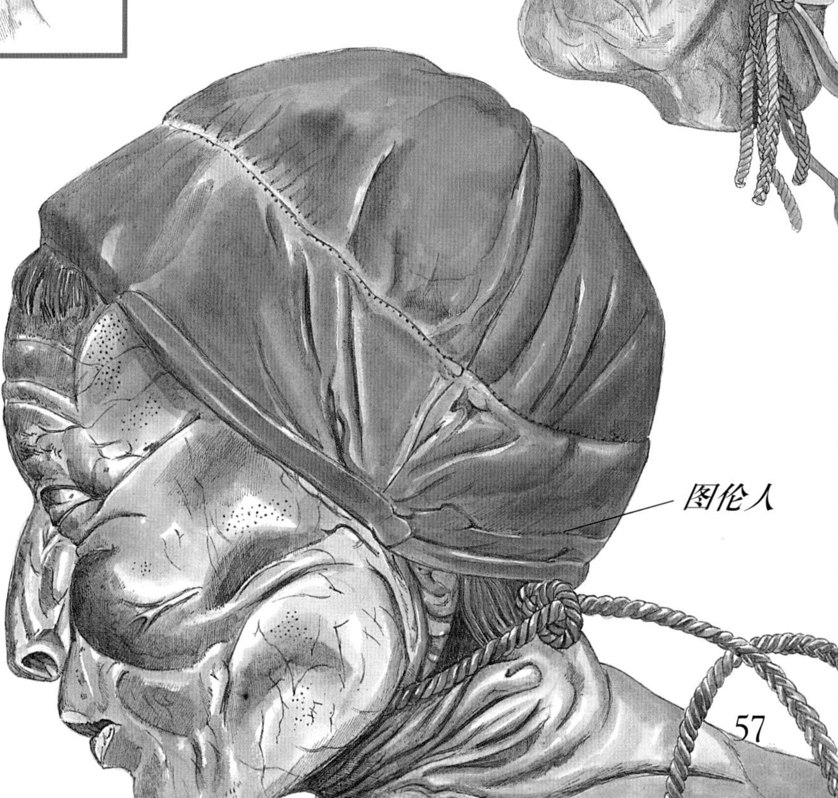

词汇表

孔雀石
一种经常被用来作珠宝饰品的晶莹的绿宝石，磨成粉末后还可以用作眼部的化妆品。

阴间
古埃及人认为人死后穿过地下世界到达的地方。

巴
埃及神话中代表灵魂的人头鸟身怪。巴的职责是游荡于坟墓和地下世界之间以帮助死者安全地到达阴间。

卡
卡代表人在死后延续的生命力量。当人死后，卡还留在木乃伊体内。

阿比斯公牛
从宫廷里饲养的牛中挑出的身上带有特殊图案（黑白相间，额头有钻石形的标记）的公牛。它们被当做神牛加以崇拜。阿比斯公牛死后也会被做成木乃伊安葬在被称为“萨拉皮雍”的特殊陵墓中。

泡碱
一种天然的盐类，在木乃伊制作过程中用于将尸体风干。

护身符
一种可以带来幸运的小物件，放置在包裹木乃伊的绷带中以驱赶恶灵，并在木乃伊前往地下世界的路途上保护它。

阿努比斯
地下世界的引导亡灵之神，长着豺狼的头。古埃及人认为是他发明了木乃伊的制作方法。

陶片
由经过烧烤的黏土绘制而成，放置在木乃伊的眼窝中以代替他的眼睛。

树脂
从冷杉和松树中渗出的芳香的树汁。

奥西里斯
死神。他被弟弟塞特谋杀后，阿努比斯将他做成了第一个木乃伊。人们经常将节德柱作为他的象征，大概是将其当做了他的脊椎。

托特
智慧与写作之神。有时他以朱鹭的形象出现，有时又以狒狒的形象出现。他掌管着人类寿命与一生遭遇的详细纪录。

伊西斯结
女神伊西斯的神圣象征。

《亡灵书》
这是被分为 190 章的一系列咒语。有些咒语在制作木乃伊和葬礼时诵读，另一些则被刻在坟墓中，在死者通向阴间的旅途中帮助他们。

旧王朝、中王朝和新王朝
埃及历史上法老统一治理国家的三个时期。约公元前 2686 年～公元前 2181 年是旧王朝时代，也被称为金字塔时代。然后就是第一中间期（约公元前 2181 年～公元前 2040 年），这是一段不幸和混乱的岁月。中王朝时代（约公元前 2040 年～公元前 1786 年）见证了埃及的重新统一和艺术与文学的繁荣。第二中间期（约公元前 1786 年～公元前 1567 年）又是一段乱世岁月。在这期间，外族喜克索人占领了北方地区。新王朝时代（约公元前 1567 年～公元前 1085 年）埃及进入了重新统一的辉煌时期，并成为了当时世界上的超级大国。

人形棺木
形似人体形状的木制盒子。盒子分两部分：底下的一半安放尸体，上面盖上棺盖加以密封。

石棺
由石头制成的外层棺材。

蛇形标记
埃及法老生前和死后均佩戴在前额的象征物。通常是由一条眼镜蛇和一只秃鹰组成，象征庇护上下埃及的两位女神——纳赫拜特和瓦奇特——的力量。

职业哀悼者
通常为女性，她们受雇参加埃及的丧葬仪式。在丧礼上大声地号啕恸哭，并将头后仰发出漱口时的声音。这种声音被称为吠声，在今天埃及的风俗中依然存在。

乌萨布提
陶制（有时也由木头或石头制成）的人形小雕像，和木乃伊一起下葬。乌萨布提要在地下世界中接受死者的召唤为他们劳动。法老图坦卡蒙有 400 个乌萨布提陪葬。

玛特
代表真理、正义和秩序的女神。

阿穆特
地下世界的一种怪物，有着鳄鱼的头、狮子的胸脯和前腿，以及河马的后腿和臀部。

祭品
许多陵墓中都有一桌子丰富的祭品，以便卡在阴间有东西可吃。通常的祭品都是成堆的禽肉、面包、蔬菜和水果。

有关木乃伊的常识

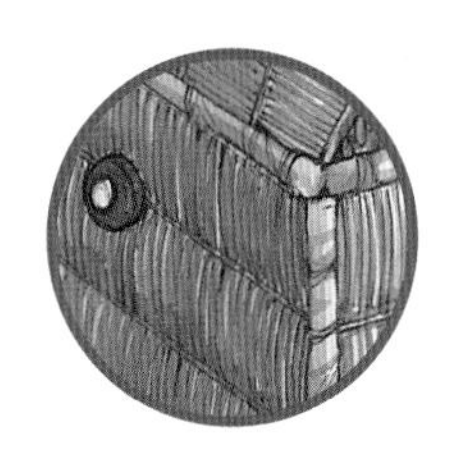

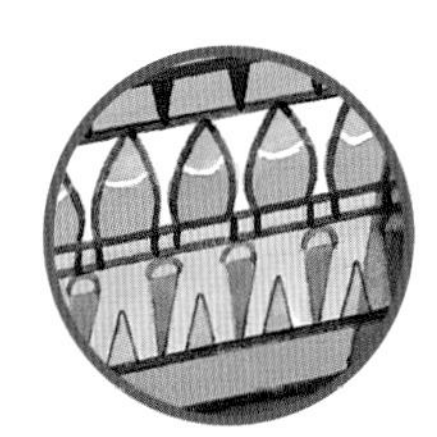

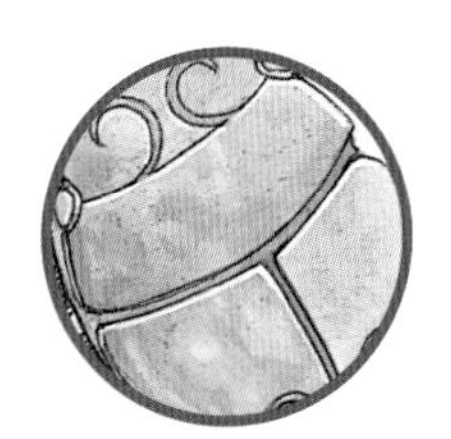

图坦卡蒙是新王朝后期的一位少年法老。在1922年霍华德·卡特发现他保存完好的陵墓之前，埃及古物学者们对他知之甚少。这位少年法老也因其陵墓中丰富的宝藏而闻名于世。20世纪20年代至30年代掀起了一股图坦卡蒙的热潮，出现了一系列与此发现有关的物品，如洗衣机、香烟，甚至舞蹈和音乐创作等。

在1922年发现图坦卡蒙的陵墓数月之后，很多与此发现有关的人都死于非命。资助搜寻陵墓的卡纳封勋爵在被蚊子叮咬了面颊后突然死于血液中毒。另两位死者一位在过马路时被撞死，另一位摔出了窗外。这使得更多的人相信“木乃伊的诅咒”之说。埃及古物学者们并不把这种诅咒当真，不过它也的确是娱乐和讨论的热门话题。

画在棺木内部的咒文被埃及古物学者们称为棺文。这些文字是为了帮助死者避祸免灾，以安全到达阴间。

埃及神话中代表灵魂的象征——巴——是一只长着人头人臂的鸟。卡的形象则是一双举起的手臂。

16和17世纪时，研磨而成的木乃伊粉末被认为是一种特效药。人们为了治病而纷纷吞食这种粉末。据说它能医治的病症包括咽喉疼痛、咳嗽、癫痫和肺结核。还有一些人相信将木乃伊粉末撒在伤口上有止血的功效。就因为人们相信木乃伊粉末的药效，成千上万的木乃伊被挖掘出来碾成了粉末。

在迪斯尼动画影片《白雪公主和七个小矮人》中，邪恶的继母就在一个邪恶的咒语中使用了木乃伊粉末。

19世纪油画创作所使用的颜料中有一种叫做“木乃伊棕”，颜料中确实有一点木乃伊的成分。一位发现此事的艺术家吓得将装着木乃伊棕的小瓶子埋在了一个花园里，还郑重地为其下葬。

古埃及人将他们国家广大而又贫瘠的土地称为deshret(意为红土地)，这正是现在英语中“沙漠(desert)”一词的词源。

在3000多年的岁月里，包裹木乃伊的方式不断在改变。亚麻布条有时候宽有时候窄。一具被挖掘出的女性木乃伊包裹了16层绷带，而另一具中王朝时期的男性木乃伊浑身则包裹了不下375平方米的亚麻布。

一些古埃及人在他们钟爱的宠物死后，也将宠物做成木乃伊，并要求在他们死后把宠物随其葬入墓穴。人们已经在各种墓穴中发现了瞪羚、猴子、狗和狒狒的木乃伊。一位陵墓的主人非常喜爱他的宠物狗，便命人将用亚麻布包裹的木乃伊狗放置在他棺木的脚边。

所有木乃伊在进入地下世界之前，都要在天平上用真实之羽称量他们的心脏。这个仪式在《亡灵书》第125章中有所记载，并且经常描绘在陪葬的纸莎草卷轴中。目前还没有任何人在考验中失败的记录，不过地下世界的恶鬼阿穆特有时会出现在天平旁边，等着吃掉那些作恶多端的人的心脏。没有了心脏，死者就无法在阴间生存。

数千只圣猫栖息在奉献给埃及猫女神贝斯特的神殿中，它们死后也被制作成木乃伊下葬。今天有大量的木乃伊猫保存了下来。

面具总是在木乃伊的装饰中占据着重要地位。在秘鲁发现的一批最早的木乃伊面具可追溯到公元前1200年。面具由红色或棕色的布料制成，缝在木乃伊的衣服上。后期的面具则由黄金或铜锻造而成，鼻子和牙齿另行制造，再焊接在面具上。

古代印加人制作木乃伊时先将尸体灌注焦油，然后将其暴露在夜间的严寒或白天的烈日之下，直到躯体完全风干为止。其后尸体会被放置在壁龛或洞穴里，不过这还并未结束。在一些重大节日如战争胜利的庆典上，木乃伊还要被请出并带到庆祝场所，人们给它穿上锦衣玉服，让它坐在黄金的椅子上享受人们敬奉的酒食，人们则在其面前跳舞庆贺。

著作权合同登记号　图字：01-2006-6213 01-2006-6212

图书在版编目(CIP)数据

金字塔与木乃伊 /（英）麦考尔著；（英）安特拉姆绘；
施伟译. -北京：北京科学技术出版社，2010. 1
（深度探索）
ISBN 978-7-5304-3843-5
Ⅰ. 金…　Ⅱ. ①麦…②安…③施…　Ⅲ. ①金字塔－少年读物
②干尸－埃及－古代－少年读物　Ⅳ. K941.17-49　K884.118.8-49
中国版本图书馆 CIP 数据核字（2009）第 187081 号

金字塔与木乃伊

作者：[英]亨丽埃塔・麦考尔　绘者：[英]戴维・安特拉姆
译者：施伟　策划：刘杨　责任编辑：邵勇
出版人：张敬德　出版发行：北京科学技术出版社
社址：北京西直门南大街 16 号　邮政编码：100035
电话传真：0086-10-66161951(总编室)
0086-10-66113227(发行部)　0086-10-66161952（发行部传真）
电子信箱：bjkjpress@163.com　网址：www.bkjpress.com
经销：新华书店　印刷：北京捷迅佳彩印刷有限公司
开本：940mm×1194mm　1/16　印张：4
版次：2010 年 1 月第 1 版　　印次：2010 年 1 月第 1 次印刷
ISBN 978-7-5304-3843-5/K・068

定价：24.80元

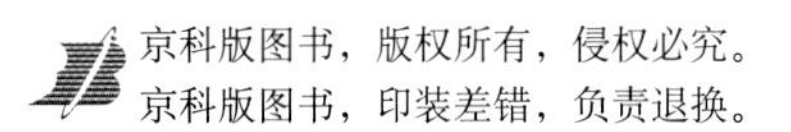